SORTILÈGES EN BOCAUX

POUR DÉBUTANTS

Guide du Débutant pour Créer et
Utiliser des Bocaux Ensorcelés

ANITA GONZALEZ

Table des matières

Introduction

Explication de ce que sont les bocaux ensorcelés et leur histoire

Tout au long de l'histoire de l'humanité, les gens ont cherché des moyens d'attirer la bonne fortune, de repousser les énergies négatives et d'invoquer la protection de puissances supérieures. Une méthode qui a perduré à travers le temps et les cultures est l'utilisation de bocaux ensorcelés. Les bocaux ensorcelés, parfois appelés bouteilles de sorcières, sont de petits récipients remplis d'objets et d'ingrédients choisis pour leurs propriétés magiques et destinés à atteindre des résultats spécifiques.

L'utilisation des bocaux ensorcelés, bien qu'ils puissent sembler mystérieux voire effrayants pour certaines personnes, est un instrument puissant et polyvalent qui peut être utilisé pour apporter des changements favorables dans la vie. Dans cette section, nous explorerons l'histoire des bocaux ensorcelés, les concepts sous-jacents à leur utilisation, ainsi que certains des matériaux et sorts les plus populaires qui leur sont liés.

L'utilisation des bocaux ensorcelés remonte à l'Antiquité, et des preuves de rituels très similaires peuvent être découvertes dans une grande variété de cultures et de traditions. L'un des exemples les plus anciens vient de l'Égypte ancienne, où des sorts magiques étaient écrits sur des papyrus ou des morceaux de poterie et enterrés dans des tombes. Ces objets ont ensuite été découverts des siècles plus tard. Les citoyens de la Grèce et de Rome antiques se protégeaient en portant constamment des amulettes et des talismans. Il était également courant pour eux d'utiliser de petits récipients remplis de diverses herbes et d'autres composants.

Pendant le Moyen Âge en Europe, les bocaux ensorcelés étaient connus sous le nom de bouteilles de sorcières et étaient utilisés pour repousser les mauvais esprits ou maudire un ennemi. Ces bouteilles étaient généralement utilisées pour contenir de l'urine, des cheveux et des ongles, avant d'être enterrées sur la propriété de la personne ayant effectué le sort. Dans certains cas, les corps étaient même trouvés enterrés dans les murs des habitations ou sous les planchers.

L'utilisation des bocaux ensorcelés en Amérique du Nord remonte à la diaspora africaine et à la pratique du Hoodoo, une forme de magie populaire afro-américaine. Dans le Hoodoo, on croit que les bocaux détiennent le pouvoir de lancer des sorts. Les praticiens du Hoodoo fabriquaient et utilisaient des bocaux ensorcelés remplis d'herbes, de racines et d'autres substances à diverses fins, notamment des sorts d'amour, d'argent et de protection.

De nos jours, les praticiens de diverses traditions magiques telles que la Wicca, le paganisme et d'autres formes de néo-paganisme s'intéressent de plus en plus à l'utilisation des bocaux ensorcelés. Ils sont désormais utilisés comme moyen de manifester des changements positifs dans leur vie et de se connecter aux énergies du monde naturel et divin.

Au cœur de la pratique de la création et de l'utilisation des bocaux ensorcelés se trouvent les principes de la magie sympathique, selon lesquels semblable attire le semblable. Cela signifie que les objets et ingrédients utilisés dans un bocal ensorcelé sont choisis en fonction de leurs qualités symboliques ou énergétiques et sont destinés à produire un résultat spécifique.

Par exemple, un bocal ensorcelé pour l'amour pourrait contenir des pétales de rose et d'autres herbes associées à l'amour et à l'attraction, tandis qu'un bocal ensorcelé de protection pourrait contenir de la tourmaline noire et d'autres pierres connues pour leurs propriétés protectrices. En combinant ces ingrédients et en les plaçant dans un récipient, le praticien peut concentrer son intention et son énergie sur le résultat souhaité, créant ainsi un puissant outil de manifestation.

Un autre principe important des bocaux ensorcelés est celui de la personnalisation. Les bocaux ensorcelés sont les plus efficaces lorsqu'ils sont adaptés aux besoins et aux désirs spécifiques du praticien. Cela signifie que plutôt que de suivre simplement une recette ou une formule, le choix des ingrédients doit être fait en tenant compte des associations personnelles et des correspondances liées à chaque individu.

Les ingrédients qui composent un bocal ensorcelé sont sélectionnés en fonction de leurs propriétés énergétiques et de leurs correspondances. La composition précise d'un bocal ensorcelé peut varier considérablement d'un praticien à l'autre et d'un sort à l'autre.

Les herbes sont l'un des composants les plus courants que l'on trouve dans les bocaux ensorcelés, car on croit largement que différentes caractéristiques et correspondances magiques sont naturellement présentes dans les herbes. La lavande, le romarin et la cannelle sont trois plantes fréquemment utilisées dans les bocaux ensorcelés. On dit que la lavande apporte l'amour, le romarin apporte la protection et la cannelle apporte l'argent et l'abondance. Ces herbes sont souvent sélectionnées en raison des objectifs particuliers qui leur sont associés, tels que l'apport d'amour ou de prospérité dans la vie d'une personne.

Les cristaux et les pierres sont également couramment utilisés dans les bocaux ensorcelés, car on croit qu'ils possèdent des propriétés énergétiques pouvant être utilisées dans la magie. Certains cristaux et pierres populaires utilisés dans les bocaux ensorcelés incluent le quartz clair pour amplifier l'énergie, l'améthyste pour la protection spirituelle et la citrine pour l'abondance et la prospérité. Ces pierres sont souvent choisies en fonction de leurs propriétés énergétiques et de leurs associations avec des intentions spécifiques.

Les breloques et les symboles peuvent également être utilisés pour renforcer la puissance d'un bocal ensorcelé et peuvent être choisis en fonction de leur signification symbolique ou culturelle. Par exemple, une breloque de nœud celtique pourrait être utilisée pour la protection, tandis qu'un symbole de pentacle pourrait être utilisé pour la croissance spirituelle et le développement. Ces symboles peuvent être ajoutés à un bocal ensorcelé pour ajouter une couche supplémentaire d'intention et de puissance.

Les huiles et les huiles essentielles peuvent également être utilisées pour oindre le bocal ensorcelé et ajouter une couche supplémentaire de correspondances énergétiques. Certaines huiles populaires et huiles essentielles utilisées dans les bocaux ensorcelés incluent l'huile de rose pour l'amour, l'huile d'encens pour la protection spirituelle et l'huile de menthe poivrée pour la clarté mentale et la concentration. Ces huiles sont souvent choisies pour leurs associations avec des intentions spécifiques et peuvent être utilisées pour renforcer la puissance du bocal ensorcelé.

Il existe plusieurs exemples courants de sorts spécifiques associés aux bocaux ensorcelés, chacun ayant son propre ensemble unique d'ingrédients et d'intentions.

Un bocal ensorcelé pour l'amour est un type populaire de bocal ensorcelé utilisé pour attirer l'amour et la romance dans la vie. Ce type de bocal ensorcelé pourrait inclure des ingrédients tels que des pétales de rose, de la lavande et des cristaux de quartz rose, tous associés à l'amour et à l'attraction. Le praticien pourrait également inclure un objet personnel ou une photo de son partenaire souhaité, et concentrer son intention sur l'attraction d'une relation aimante et épanouissante.

Un bocal ensorcelé de protection est un autre type courant de bocal ensorcelé, utilisé pour créer une barrière protectrice autour de soi-même ou de son domicile. Ce type de bocal ensorcelé pourrait inclure des ingrédients tels que de la tourmaline noire, du romarin et des feuilles de laurier, tous associés à la protection et à l'éloignement des énergies négatives. Le praticien pourrait également inclure un objet personnel ou une photo de lui-même, et concentrer son intention sur la création d'une barrière protectrice puissante et efficace.

Un bocal ensorcelé pour l'argent est un autre type populaire de bocal ensorcelé utilisé pour attirer l'abondance et la prospérité dans la vie. Ce type de bocal ensorcelé pourrait inclure des ingrédients tels que de la cannelle, des clous de girofle et des cristaux de citrine, tous associés à la richesse et au succès financier. Le praticien pourrait également inclure une bougie verte ou un billet d'un dollar, et concentrer son intention sur l'attraction de l'abondance financière et de la prospérité.

Un bocal ensorcelé pour la santé est un type de bocal ensorcelé utilisé pour promouvoir le bien-être physique et émotionnel. Ce type de bocal ensorcelé pourrait inclure des ingrédients tels que de l'échinacée, du gingembre et des cristaux de quartz clair, tous associés à la santé et à la guérison. Le praticien pourrait également inclure une photo de lui-même ou d'un être cher ayant besoin de guérison, et concentrer son intention sur la promotion du bien-être physique et émotionnel.

En conclusion, les bocaux ensorcelés sont un outil puissant et polyvalent pouvant être utilisé pour manifester des changements positifs dans la vie. Ils ont une histoire riche qui traverse les cultures et les traditions, et sont basés sur les principes de la magie sympathique et de la personnalisation. En choisissant les bons ingrédients et en concentrant leur intention, les praticiens peuvent créer un outil puissant pour la manifestation et la croissance spirituelle. Que vous soyez novice dans la pratique ou sorcier expérimenté, les bocaux ensorcelés sont un merveilleux moyen de se connecter aux énergies du monde naturel et divin, et d'apporter des changements positifs dans votre vie.

Importance de l'intention et de la personnalisation dans les bocaux ensorcelés

Les bocaux ensorcelés sont un outil puissant dans la pratique de la magie et de la sorcellerie, utilisés pour manifester des changements positifs dans la vie. La signification de l'intention et de la personnalisation est au cœur de cette pratique. Pour que les praticiens créent avec succès des bocaux ensorcelés, ils doivent d'abord sérieusement réfléchir à leurs intentions, puis adapter à la fois leurs ingrédients et leurs pratiques de manière à les aligner davantage sur leurs besoins et objectifs spécifiques. Dans cette section, nous discuterons de la valeur de l'intention et de la personnalisation dans les bocaux ensorcelés, ainsi que de la manière de les appliquer dans votre propre pratique pour obtenir les effets souhaités.

L'intention est un élément essentiel dans la création et l'utilisation des bocaux ensorcelés. L'intention est un état mental ou une finalité qui sous-tend une action, et c'est la force motrice derrière le pouvoir des bocaux ensorcelés. Les bocaux ensorcelés peuvent être inefficaces, voire contre-productifs, si l'intention derrière leur utilisation n'est pas parfaitement claire et bien concentrée.

Lors de la création d'un bocal ensorcelé, il est important de commencer par fixer une intention claire. Cette intention doit être spécifique, réalisable et en accord avec les valeurs et les désirs de chacun. Par exemple, un praticien peut fixer une intention d'attirer l'amour et la romance dans sa vie, ou de se protéger lui-même et sa maison contre les énergies négatives.

Une fois l'intention définie, le praticien doit concentrer son énergie et son attention sur celle-ci tout au long de la création et de l'activation du bocal ensorcelé. Cela peut impliquer la visualisation, la méditation ou d'autres formes de concentration pour renforcer son intention et aligner son énergie avec le résultat désiré.

L'importance de l'intention va au-delà de la création du bocal ensorcelé lui-même. Il est également important de maintenir un état d'esprit positif et concentré dans les jours et les semaines qui suivent la création du bocal ensorcelé. Cela peut impliquer des affirmations, des pratiques de gratitude ou d'autres formes de soins personnels pour maintenir son énergie en accord avec son intention et empêcher les pensées négatives ou douteuses de s'installer.

Un autre élément clé dans la création et l'utilisation des bocaux ensorcelés est la personnalisation. Les bocaux ensorcelés sont les plus efficaces lorsqu'ils sont adaptés aux besoins et aux désirs individuels du praticien. Cela implique de choisir des ingrédients et des pratiques qui sont en accord avec les associations et les correspondances personnelles, plutôt que de simplement suivre une recette ou une formule.

La personnalisation permet au praticien de créer un bocal ensorcelé spécialement adapté à sa situation et à ses désirs personnels. Cela peut impliquer de choisir des herbes, des cristaux ou d'autres ingrédients qui ont une signification personnelle ou qui sont associés à une intention spécifique. Par exemple, un praticien peut choisir d'inclure des pétales de rose dans son bocal ensorcelé pour l'amour, car les roses ont une signification personnelle pour lui, ou il peut choisir d'utiliser de la tourmaline noire dans son bocal ensorcelé de protection parce qu'il ressent une connexion personnelle avec la pierre.

La personnalisation implique également de choisir un récipient pour le bocal ensorcelé qui a une signification personnelle pour le praticien. Cela peut impliquer de choisir un récipient ayant une signification personnelle, comme un héritage de la famille du praticien ou un morceau de poterie qui lui est particulièrement cher, ou cela peut impliquer de choisir un contenant en harmonie avec les préférences esthétiques du praticien. Pour renforcer la puissance du bocal ensorcelé, le récipient peut être décoré de sigils, de breloques ou d'autres détails uniques et personnalisés.

Il est crucial d'intégrer l'intention et la personnalisation dans la pratique de la création des bocaux ensorcelés si l'on souhaite produire des outils puissants et efficaces pour la manifestation de ses désirs. Les bocaux pour lancer des sorts sont un outil adaptable et dynamique utilisé dans l'art de la sorcellerie et de la magie ; cependant, l'efficacité de ces bocaux dépend grandement du but et de l'énergie du praticien. Intégrer l'intention et la personnalisation dans votre pratique des bocaux ensorcelés peut être accompli avec les recommandations suivantes :

Commencez par une intention claire et concentrée. La première étape pour créer un puissant bocal ensorcelé est de fixer une intention claire et concentrée. Cette intention doit être spécifique, réalisable et en accord avec vos valeurs et vos désirs. Passez du temps à réfléchir à votre intention et concentrez votre énergie et votre attention dessus tout au long de la création et de l'utilisation du bocal ensorcelé.

Choisissez des ingrédients et des pratiques ayant une signification personnelle. Les ingrédients utilisés dans un bocal ensorcelé reflètent l'intention et les associations personnelles du praticien. Choisissez des herbes, des cristaux et d'autres ingrédients ayant une signification personnelle ou associés à votre intention spécifique. Cela peut inclure des correspondances traditionnelles ou des ingrédients ayant une signification personnelle pour vous.

Choisissez un récipient qui a une signification pour vous et décorez-le avec des symboles, des breloques ou d'autres touches personnelles pour renforcer le pouvoir du bocal ensorcelé.

Intégrez la visualisation et la méditation dans votre pratique. La visualisation et la méditation sont des outils puissants pour renforcer votre intention et aligner votre énergie avec le résultat souhaité. Passez du temps à visualiser votre intention se concrétisant et méditez sur l'énergie de vos ingrédients choisis. Cela peut aider à aligner votre énergie avec les énergies naturelles de l'univers et à renforcer la puissance de votre bocal ensorcelé.

Pratiquez l'auto-soin pour maintenir un état d'esprit positif. Maintenir un état d'esprit positif est essentiel pour le succès de votre bocal ensorcelé. Pratiquer l'auto-soin, comme les affirmations, les pratiques de gratitude et la pensée positive envers vous-même, peut vous aider à maintenir votre énergie en accord avec votre intention et à empêcher les pensées négatives ou douteuses de s'installer. Prenez soin de vous tant sur le plan physique qu'émotionnel pour vous assurer que votre énergie est alignée avec votre intention.

Ayez confiance en la puissance de votre intention et de votre bocal ensorcelé. Souvenez-vous que la puissance de votre intention et de votre bocal ensorcelé réside en vous. Ayez confiance en vous et en la puissance de votre intention pour apporter des changements positifs dans votre vie. Croyez en la puissance de votre bocal ensorcelé et des énergies que vous avez mobilisées pour créer des changements dans votre vie.

En conclusion, l'intention et la personnalisation sont des éléments essentiels dans la création et l'utilisation des bocaux ensorcelés. En fixant une intention claire et en choisissant des ingrédients et des pratiques ayant une signification personnelle, les praticiens peuvent créer des outils puissants et efficaces pour la manifestation. L'intégration de la visualisation, de la méditation et de l'auto-soin peut également renforcer la puissance du bocal ensorcelé et aligner l'énergie du praticien sur le résultat désiré. En ayant confiance en la puissance de leur intention et de leur bocal ensorcelé, les praticiens peuvent apporter des changements positifs dans leur vie et se connecter aux énergies du monde naturel et divin.

Chapitre I

Débuter avec les
Bocaux En sorcellerie

Matériaux nécessaires

Les bocaux ensorcelés sont un outil puissant dans la pratique de la magie et de la sorcellerie, utilisés pour manifester des changements positifs dans la vie. Au cœur de la création d'un bocal ensorcelé se trouve la sélection d'ingrédients qui correspondent à l'intention du praticien. Dans cette section, nous explorerons les composants nécessaires à la création de bocaux ensorcelés ainsi que les propriétés magiques liées à ces composants.

Il est essentiel de réfléchir attentivement au récipient qui sera utilisé pour le bocal magique, car il est largement admis que le récipient absorbera et amplifiera l'énergie des composants. Afin de contenir les composants, vous aurez besoin d'un récipient qui peut être fermé de manière sécurisée. Ce récipient peut être fait de n'importe quel matériau, y compris du verre, du métal, de l'argile ou du bois. La capacité du récipient peut être ajustée pour répondre à différentes utilisations et à différentes quantités de substances requises.

Certains praticiens estiment que les récipients recyclés, tels que les pots de nourriture pour bébés ou les pots à épices, sont les options les plus appropriées pour être utilisés comme bocaux ensorcelés en raison de leur faible coût et de leur disponibilité élevée. D'autres aiment utiliser des récipients décoratifs, tels que des bocaux en cristal ou en verre, pour améliorer l'esthétique du bocal ensorcelé. Cela peut être fait en plaçant le contenu du bocal à l'intérieur du récipient.

Les herbes sont un ingrédient courant dans les bocaux ensorcelés, car on croit qu'elles possèdent diverses propriétés magiques et correspondances. Les herbes peuvent être utilisées pour la protection, l'amour, la prospérité et de nombreuses autres intentions.

Lors de la sélection des herbes pour un bocal ensorcelé, il est important de choisir celles qui correspondent à l'intention souhaitée.

Par exemple, la lavande est couramment utilisée dans les sorts d'amour, tandis que le romarin est utilisé pour la protection. Les herbes peuvent être utilisées sous forme séchée ou fraîche, en fonction des préférences personnelles et de la disponibilité.

Comme les herbes, les cristaux et les pierres sont censés posséder des propriétés énergétiques pouvant être utilisées dans la magie. Les cristaux et les pierres peuvent être utilisés pour la protection, la croissance spirituelle et de nombreuses autres intentions.

Lors de la sélection des cristaux et des pierres pour un bocal ensorcelé, il est important de choisir ceux qui correspondent à l'intention souhaitée. Par exemple, l'améthyste est couramment utilisée pour la protection spirituelle, tandis que la citrine est utilisée pour l'abondance et la prospérité. Le praticien peut également choisir d'inclure un cristal de quartz clair, qui est censé amplifier l'énergie des autres ingrédients dans le bocal ensorcelé.

L'efficacité d'un bocal ensorcelé peut être augmentée par l'utilisation de breloques et de symboles, qui peuvent être choisis en fonction de leur signification symbolique ou culturelle. Les breloques et les symboles peuvent être fabriqués à partir d'une gamme de matériaux, tels que le métal, l'argile ou le verre, et inclus dans le bocal ensorcelé de différentes manières, comme en les attachant au récipient ou en les insérant parmi les ingrédients. Les breloques et les symboles peuvent également être utilisés pour éloigner les esprits malveillants et se protéger contre les dommages.

Par exemple, une breloque sous la forme d'un nœud celtique pourrait être portée dans le but de fournir une sécurité, ou un pentacle pourrait être porté dans le but de favoriser l'expansion et le développement spirituels. Un sigil est un signe spécialement conçu pour le sort et le praticien peut décider de l'incorporer également dans le rituel.

Le bocal ensorcelé peut être oint d'huiles et d'huiles essentielles, ce qui ajoutera une couche supplémentaire de correspondances énergétiques à la composition. Les huiles et les huiles essentielles peuvent être utilisées pour la protection, l'amour, la prospérité et de nombreuses autres intentions.

Lors de la sélection des huiles et des huiles essentielles pour un bocal ensorcelé, il est important de choisir celles qui correspondent à l'intention souhaitée. Par exemple, l'huile de rose est couramment utilisée dans les sorts d'amour, tandis que l'huile d'encens est utilisée pour la protection spirituelle. Le praticien peut également choisir d'inclure des huiles de support, telles que l'huile de coco ou l'huile d'olive, pour diluer les huiles essentielles et les rendre plus faciles à utiliser.

Les bougies peuvent être utilisées en conjonction avec un bocal ensorcelé pour renforcer l'énergie et l'intention du sort. La couleur de la bougie peut correspondre à l'intention du sort, et la bougie peut être ointe d'huiles et d'herbes avant d'être allumée.

Par exemple, une bougie verte pourrait être utilisée pour un sort d'argent, tandis qu'une bougie rose pourrait être utilisée pour un sort d'amour. Le praticien pourrait également choisir d'inclure une petite bougie chauffe-plat ou une bougie de tintement à l'intérieur du bocal ensorcelé lui-même, à brûler pendant le travail du sort ou à allumer au besoin.

Des objets personnels peuvent être inclus dans un bocal ensorcelé pour renforcer l'énergie et l'intention du sort. Les objets personnels peuvent être n'importe quel objet qui a une signification personnelle pour le praticien et peuvent être ajoutés au bocal ensorcelé de différentes manières, comme en les attachant au récipient ou en les incluant parmi les ingrédients.

Par exemple, un praticien pourrait inclure un morceau de ses propres cheveux dans un bocal ensorcelé pour l'amour de soi ou une photo d'un être cher dans un bocal ensorcelé pour la guérison. Ces objets personnels ajoutent une couche supplémentaire d'intention et d'énergie au bocal ensorcelé et peuvent aider à renforcer la connexion du praticien au sort.

Le sel est un ingrédient couramment utilisé dans les bocaux ensorcelés, car on croit qu'il possède des propriétés protectrices et purifiantes. Le sel peut être utilisé pour purifier le récipient et les ingrédients avant de commencer le travail du sort et peut être ajouté aux ingrédients pour renforcer leurs propriétés protectrices.

Lors de la sélection du sel pour un bocal ensorcelé, il est important de choisir un type de sel qui correspond à l'intention souhaitée. Par exemple, le sel noir pourrait être utilisé pour la protection, tandis que le sel rose de l'Himalaya pourrait être utilisé pour l'amour de soi.

Il existe de nombreux autres matériaux qui peuvent être utilisés dans les bocaux ensorcelés, en fonction des préférences personnelles du praticien et de l'intention du sort. Certains praticiens pourraient choisir d'inclure des fleurs séchées, des plumes, ou même de petits morceaux de papier avec des affirmations ou des intentions écrites dessus.

Il est important de se rappeler que les matériaux utilisés dans un bocal ensorcelé doivent être sélectionnés avec intention et signification personnelle, plutôt que de simplement suivre une recette prescrite. Le praticien devrait faire confiance à son intuition et choisir des matériaux qui résonnent avec son intention et sa pratique personnelle.

En conclusion, la création d'un bocal ensorcelé est un processus personnel et intentionnel qui nécessite une réflexion minutieuse sur les matériaux utilisés. Le récipient, les herbes, les cristaux et les pierres, les breloques et les symboles, les huiles et les huiles essentielles, les bougies, les objets personnels, le sel et les autres matériaux contribuent tous à l'énergie et à l'intention du bocal ensorcelé.

En sélectionnant des matériaux correspondant à l'intention souhaitée et à la signification personnelle, le praticien peut créer un outil puissant pour la manifestation et le changement. Il est important de faire confiance à son intuition et de personnaliser le bocal ensorcelé pour qu'il corresponde à sa pratique et à son intention unique. En le faisant, le praticien peut se connecter aux énergies du monde naturel et divin, et manifester des changements positifs dans sa vie.

Choix d'un récipient et sa signification

Le récipient utilisé pour un bocal ensorcelé est une considération importante dans la création d'un outil puissant et efficace pour la manifestation. Le récipient ne sert pas seulement à stocker les composants du bocal ensorcelé, mais il sert également à amplifier l'énergie du bocal lui-même et peut fournir une couche supplémentaire de symbolisme et de but. Dans cette section, nous discuterons de l'importance de choisir un récipient pour un bocal ensorcelé, ainsi que des différents types de récipients pouvant être utilisés et des matériaux pouvant être utilisés pour les fabriquer.

Le récipient choisi pour contenir un bocal de sorts est important de plusieurs façons différentes. Tout d'abord, il agit comme une manifestation matérielle du but de lancer la magie. Le récipient peut être choisi soit en fonction de sa signification symbolique ou culturelle, soit en fonction des associations personnelles que l'individu a avec le matériau ou la forme du récipient.

Ensuite, on prétend que le récipient augmentera la puissance des composants qui sont utilisés pour créer le bocal ensorcelé. L'énergie des composants est piégée et amplifiée à l'intérieur du récipient, produisant ainsi un instrument puissant pour la manifestation de tout ce que vous souhaitez créer.

Troisièmement, le récipient peut servir de rappel visuel du sort et de l'intention du praticien. En plaçant le récipient dans un endroit proéminent ou en le transportant avec eux, le praticien peut rester concentré sur son intention et se connecter à l'énergie du bocal ensorcelé tout au long de la journée.

Il existe de nombreux types de récipients pouvant être utilisés pour un bocal ensorcelé, chacun ayant sa propre signification et ses propres associations. Le matériau et la forme du récipient peuvent ajouter une couche supplémentaire de symbolisme et d'intention au bocal ensorcelé.

Les bocaux en verre sont un choix de récipient populaire et polyvalent pour les bocaux ensorcelés. Ils peuvent être facilement trouvés dans une variété de formes et de tailles, et leur nature transparente permet aux praticiens de voir le contenu du bocal et le progrès du sort. Les bocaux en verre ont également une longue histoire d'utilisation dans les pratiques magiques, remontant à l'Antiquité.

Lors de l'utilisation de bocaux en verre pour la fabrication de bocaux ensorcelés, plusieurs facteurs importants doivent être pris en compte. Ces aspects comprennent le type de verre utilisé, les dimensions et les formes du bocal, ainsi que les contenus qu'il contient.

Tout d'abord, il est important de prendre en compte le type de verre. Tous les verres ne sont pas égaux, et il est possible que certains types de verre soient plus appropriés pour être utilisés comme bocaux ensorcelés que d'autres. Les bocaux Mason et d'autres types de bocaux de conservation, par exemple, sont fabriqués à partir de verre épais et robuste résistant à la fois aux hautes températures et aux hautes pressions. Les bocaux de ce type sont un excellent choix pour une utilisation dans les sorts nécessitant que les matériaux soient chauffés ou bouillis. En revanche, les bocaux en verre délicats, tels que ceux utilisés pour les bougies ou à des fins décoratives, pourraient ne pas être appropriés pour les bocaux ensorcelés qui intègrent des composants particulièrement lourds ou abrasifs.

La taille du bocal ainsi que sa forme sont tout aussi cruciales à prendre en compte. Il est important que la capacité du bocal soit proportionnelle au nombre de composants nécessaires pour le sort.

Un bocal trop petit peut ne pas avoir suffisamment d'espace pour tous les ingrédients nécessaires, tandis qu'un bocal trop grand pourrait diluer l'énergie du sort. De plus, la forme du bocal peut affecter le flux d'énergie et l'intention du sort. Par exemple, un bocal avec une ouverture étroite pourrait mieux convenir aux sorts impliquant une énergie focalisée, tandis qu'un bocal avec une ouverture large pourrait mieux convenir aux sorts impliquant une énergie expansive.

En ce qui concerne le contenu du bocal, les bocaux en verre offrent l'avantage de pouvoir voir les ingrédients et l'énergie qu'ils contiennent. Cela peut être particulièrement utile pour surveiller le progrès du sort et apporter des ajustements si nécessaire. De plus, les bocaux en verre peuvent être facilement nettoyés et réutilisés, ce qui en fait un choix durable et respectueux de l'environnement.

Il existe plusieurs façons créatives d'utiliser des bocaux en verre pour la création de bocaux ensorcelés. Une méthode populaire consiste à superposer les ingrédients dans le bocal, créant ainsi une représentation visuellement attrayante et symbolique de l'intention du sort. Par exemple, un bocal ensorcelé pour attirer l'argent peut être superposé avec des pièces de monnaie, des herbes associées à l'abondance et une bougie verte sur le dessus.

Une autre façon d'utiliser des bocaux en verre dans la création de bocaux ensorcelés est de décorer l'extérieur du bocal avec des symboles, des sigils ou d'autres éléments décoratifs qui s'alignent avec l'intention du sort. Cela peut être fait à l'aide de peinture, de marqueurs ou même d'autocollants.

Les bocaux en verre peuvent également être utilisés en combinaison avec d'autres matériaux pour créer des bocaux ensorcelés uniques et puissants. Par exemple, un bocal en verre peut être associé à des cristaux, des plumes ou d'autres matériaux naturels pour renforcer l'énergie du sort.

Lors de l'utilisation de bocaux en verre dans la création de bocaux ensorcelés, il est important de se rappeler de purifier et de charger le bocal avant utilisation. Cela peut être fait en utilisant de la fumée de sauge ou de palo santo, de l'eau salée ou d'autres méthodes de purification. De plus, les praticiens doivent toujours manipuler les bocaux en verre avec précaution, car le verre brisé peut être dangereux.

Les récipients en métal sont utilisés dans la création de bocaux ensorcelés depuis des siècles. Des petites boîtes de conserve aux grandes boîtes en métal, les récipients en métal peuvent être utilisés à des fins très variées dans la magie.

L'un des principaux avantages de l'utilisation de récipients en métal pour les bocaux ensorcelés est leur durabilité. Le métal est solide et robuste, ce qui en fait l'option idéale pour contenir en toute sécurité le contenu d'un bocal ensorcelé. Cela est particulièrement important si le bocal ensorcelé est destiné à être transporté ou déplacé, car il sera moins susceptible de se casser ou de renverser son contenu.

Un autre avantage de l'utilisation de récipients en métal est leur polyvalence. Les récipients en métal sont disponibles dans une grande variété de formes, de tailles et de designs, ce qui facilite la recherche de celui qui correspond à vos besoins spécifiques. Les boîtes en métal, par exemple, sont un choix populaire pour les petits bocaux ensorcelés, tandis que les grandes boîtes en métal peuvent être utilisées pour des sorts plus complexes ou pour stocker plusieurs bocaux ensorcelés.

En plus de leur durabilité et de leur polyvalence, les récipients en métal offrent également des propriétés magiques uniques. Dans de nombreuses cultures, le métal est associé à la force, à la protection et à la stabilité. Cela fait des récipients en métal un choix idéal pour les sorts qui se concentrent sur ces énergies, tels que les sorts de protection ou les sorts de force personnelle et d'autonomisation.

Lors de l'utilisation de récipients en métal pour la création de bocaux ensorcelés, il est important de prendre en compte le type de métal utilisé. Différents métaux sont associés à différentes énergies et correspondances. Par exemple, le fer est associé à la force et à la protection, tandis que le cuivre est associé à l'amour et à la guérison. Choisir un métal qui s'aligne avec l'intention de votre sort peut en améliorer l'efficacité.

Il est également important de prendre en compte l'état du récipient en métal. Les récipients en métal rouillés ou endommagés peuvent véhiculer de l'énergie négative ou interférer avec l'énergie du sort. Si vous utilisez un récipient en métal d'occasion, il est important de le purifier avant de l'utiliser dans un bocal ensorcelé.

Lors de la création d'un bocal ensorcelé avec un récipient en métal, il est important de choisir les bons matériaux pour le remplir. Les herbes, les cristaux et autres matériaux qui s'alignent sur l'intention du sort doivent être soigneusement choisis et chargés d'énergie avant d'être placés dans le récipient. Une attention particulière doit également être accordée à la couleur et à la symbolique des matériaux utilisés, car ils peuvent également renforcer l'énergie du sort.

En plus des matériaux à l'intérieur du récipient, l'extérieur du récipient en métal peut également être décoré ou gravé avec des symboles, des sigils ou d'autres correspondances qui s'alignent sur l'intention du sort. Cela peut renforcer l'énergie du sort et faciliter la concentration sur son intention.

Votre travail de sort aura une qualité plus terrestre et naturelle si vous choisissez des récipients en argile ou en céramique pour vos bocaux ensorcelés, car ces matériaux peuvent être utilisés pour construire des récipients à la fois attrayants et fonctionnels. Ces récipients existent dans une large gamme de formes, de dimensions et de couleurs, et chacun a ses propres qualités distinctes qui peuvent renforcer la vitalité et le but des bocaux ensorcelés que vous créez.

Les récipients en argile et en céramique sont utilisés depuis des millénaires et ont été utilisés pour une grande variété de tâches, notamment le stockage d'aliments, d'eau et d'autres articles. En raison de leur structure poreuse, ils sont capables d'absorber et de stocker de l'énergie, ce qui en fait un matériau idéal pour les bocaux ensorcelés. De plus, ils sont souvent faits à la main, ce qui confère un sentiment de savoir-faire et d'individualisme au processus de votre ensorcellement.

Les récipients en argile ou en céramique offrent plusieurs avantages, dont l'un est leur adaptabilité en tant que bocaux ensorcelés. Ils peuvent être modelés dans une variété de formes, y compris des bols, des tasses, des bocaux et des pots, et ils peuvent être décorés de designs complexes, de symboles et de motifs. Cela permet une plus grande créativité et personnalisation dans la création de vos bocaux ensorcelés.

Un autre avantage de l'utilisation de récipients en argile ou en céramique est leur énergie d'ancrage et de stabilisation. En tant qu'éléments de la terre, ils ont une connexion naturelle à la stabilité, à l'ancrage et à la manifestation. Cela les rend particulièrement utiles pour les sorts impliquant la guérison physique, l'abondance et la manifestation.

Lors de la sélection d'un récipient en argile ou en céramique pour votre bocal ensorcelé, tenez compte de la couleur et de la texture du récipient. Différentes couleurs et textures peuvent correspondre à différentes intentions et énergies. Par exemple, un récipient en argile rugueux et non poli peut être utilisé pour les sorts nécessitant de l'ancrage et de la stabilité, tandis qu'un récipient en céramique lisse et poli peut être utilisé pour les sorts nécessitant équilibre et harmonie.

Pour préparer votre récipient en argile ou en céramique pour une utilisation dans un bocal ensorcelé, il est important de le purifier et de le consacrer. Cela peut être fait en utilisant de la sauge ou du palo santo pour purifier, en saupoudrant de sel ou d'eau bénite, ou en utilisant toute autre méthode qui s'aligne avec votre pratique personnelle. Une fois le récipient purifié, vous pouvez le charger de votre intention et de votre énergie en le tenant dans vos mains et en visualisant qu'il se remplit d'énergie positive.

Lors de la création d'un bocal ensorcelé avec un récipient en argile ou en céramique, envisagez d'utiliser des herbes, des cristaux et d'autres matériaux naturels qui s'alignent sur l'élément de la terre. Cela peut inclure des herbes telles que la sauge, le romarin et la lavande, ainsi que des cristaux tels que l'hématite, le jaspe et l'agate mousse. Ces matériaux peuvent être superposés ou disposés dans le récipient, chaque couche représentant un aspect différent de l'intention du sort.

Lors de la fermeture de votre bocal ensorcelé, envisagez d'utiliser un matériau naturel tel que du liège ou du bois pour maintenir l'énergie terrestre et naturelle du récipient. Vous pouvez également décorer le récipient avec des symboles, des sigils ou d'autres correspondances qui s'alignent sur l'intention du sort.

Pour activer l'énergie de votre bocal ensorcelé, vous pouvez allumer une bougie ou utiliser d'autres méthodes pour charger le récipient d'énergie. Vous pouvez également placer le récipient sur un autel ou dans un autre espace sacré pour renforcer son énergie et son potentiel de manifestation.

Lorsqu'il est temps de vous débarrasser de votre bocal ensorcelé, il est important de le faire de manière respectueuse envers la terre. Si le récipient est biodégradable, il peut être enterré dans un endroit sûr et respectueux. Si le récipient n'est pas biodégradable, il peut être recyclé ou réutilisé de manière à correspondre à vos croyances et pratiques personnelles.

Les récipients en bois sont un choix populaire pour la création de bocaux ensorcelés, car ils offrent une esthétique naturelle et terreuse qui peut renforcer l'énergie du sort. Ils sont également polyvalents et existent dans une variété de formes et de tailles, ce qui les rend adaptés à une large gamme de sorts et d'intentions.

L'un des avantages de l'utilisation de récipients en bois pour les bocaux ensorcelés est qu'ils sont respectueux de l'environnement et durables. Contrairement aux récipients en plastique, qui peuvent mettre des centaines d'années à se décomposer, les récipients en bois peuvent être facilement biodégradés et retournés à la terre. Cela en fait un choix idéal pour ceux qui accordent de l'importance à la conscience environnementale dans leur pratique magique.

Lors du choix d'un récipient en bois pour un bocal ensorcelé, il est important de prendre en compte le type de bois et ses correspondances. Différents types de bois ont différentes énergies et correspondances qui peuvent renforcer la puissance du sort. Par exemple, le chêne est associé à la force, à la sagesse et à l'endurance, tandis que le cèdre est associé à la purification et à la protection.

En plus du type de bois, il est également important de considérer la taille et la forme du récipient. Les récipients en bois existent dans une variété de formes et de tailles, des petits bocaux ronds aux boîtes rectangulaires plus grandes. Il est important de choisir une taille et une forme qui correspondent à l'intention du sort et qui offrent suffisamment d'espace pour les ingrédients.

Lors de la préparation d'un récipient en bois pour un bocal ensorcelé, il est important de le purifier et de le charger avant d'ajouter des ingrédients. Cela peut être fait en utilisant de la sauge ou du palo santo pour purifier, en saupoudrant de sel ou d'eau bénite, ou en utilisant toute autre méthode qui correspond à la pratique personnelle du praticien. La purification du récipient aide à libérer toute énergie résiduelle et crée un nouveau départ pour de nouveaux sorts et intentions.

Une fois que le récipient a été purifié, il est temps d'ajouter les ingrédients pour le bocal ensorcelé. Cela peut inclure des herbes, des cristaux, des huiles et tout autre élément qui s'aligne sur l'intention du sort. Il est important de superposer les ingrédients de manière harmonieuse et équilibrée, chaque ingrédient contribuant à l'énergie globale du sort.

Après que tous les composants ont été placés à l'intérieur du récipient en bois, le couvercle peut être scellé avec de la cire ou de toute autre manière qui semble être la plus appropriée. Cela contribue à emprisonner l'énergie du sort et à créer un récipient qui est à la fois magnifique en apparence et puissant dans ses capacités.

Lorsque vous travaillez avec des récipients en bois pour les bocaux ensorcelés, il est essentiel de réfléchir à la manière de bien prendre soin du récipient et de le maintenir. Parce que le bois est un matériau poreux capable d'absorber l'humidité et d'autres éléments, il est essentiel que le récipient soit maintenu au sec et qu'il ne soit pas exposé à une quantité excessive de chaleur ou d'humidité. Il est essentiel de garder le récipient à l'abri de la lumière directe du soleil et à l'écart de toute autre source de chaleur pendant qu'il est stocké. L'environnement doit être froid et sec.

Lorsque vous cherchez un récipient à utiliser comme bocal ensorcelé, il est essentiel de prendre en compte les associations et la symbolique liées au matériau du récipient ainsi qu'à sa forme. Le récipient doit également pouvoir être fermé hermétiquement pour contenir les ingrédients et l'énergie du bocal ensorcelé.

Le praticien doit également tenir compte de sa connexion personnelle avec le récipient et son matériau. Le récipient doit avoir une signification personnelle pour le praticien et résonner avec son intention et sa pratique personnelle.

Une fois qu'un récipient a été choisi, le praticien peut en renforcer la signification et le symbolisme en le décorant avec des symboles, des couleurs ou des amulettes. Ces décorations doivent correspondre à l'intention du sort et aux associations du matériau et de la forme du récipient.

Les symboles et les couleurs peuvent être utilisés pour renforcer le symbolisme et l'intention du récipient. Par exemple, un récipient en forme de cœur pourrait être décoré de la couleur rose et d'un symbole de cœur pour un sort d'amour, tandis qu'un récipient circulaire pourrait être décoré de la couleur argent et d'un symbole de la lune pour un sort lié aux cycles lunaires.

Des amulettes et des objets peuvent également être ajoutés au récipient pour renforcer son énergie et son symbolisme. Ces objets peuvent être choisis en fonction de leur signification personnelle pour le praticien ou de leurs associations culturelles ou symboliques.

Par exemple, un praticien pourrait ajouter une petite amulette en forme de clé à un bocal de protection, symbolisant le verrouillage et le déverrouillage des portes pour protéger sa maison ou son espace personnel. Un praticien pourrait également inclure un petit cristal ou une pierre dans le récipient, comme un cristal de quartz clair pour amplifier l'énergie du bocal ensorcelé.

Une fois que le récipient a été choisi et décoré, il est important de le sceller hermétiquement pour contenir l'énergie du bocal ensorcelé. Cela peut être fait en recouvrant l'ouverture du récipient avec un couvercle, un bouchon, ou en attachant solidement un morceau de tissu ou de ruban autour du bord extérieur du récipient.

Avant de sceller le récipient, le praticien peut également choisir de réciter une incantation ou un chant, en focalisant leur intention sur l'énergie et l'intention du bocal ensorcelé. Cela peut aider à renforcer la connexion entre le praticien et le bocal ensorcelé et à augmenter son efficacité.

En conclusion, le choix d'un récipient pour un bocal ensorcelé est une considération importante dans la création d'un outil puissant et efficace pour la manifestation. Le récipient ne contient pas seulement les ingrédients, mais amplifie également l'énergie du bocal ensorcelé et peut ajouter une couche supplémentaire de symbolisme et d'intention.

Les récipients en verre, en métal, en argile ou en céramique, et en bois ont tous leur propre signification et leurs associations, et le praticien devrait choisir un récipient qui résonne avec sa pratique personnelle et son intention.

Décorer le récipient avec des symboles, des couleurs ou des amulettes peut renforcer son symbolisme et son énergie, et sceller hermétiquement le récipient est essentiel pour contenir l'énergie du bocal ensorcelé. En tenant compte soigneusement du choix et de la décoration du récipient, le praticien peut créer un outil puissant et personnalisé pour la manifestation et le changement positif.

Principes de base pour créer un bocal ensorcelé

La création d'un bocal ensorcelé est une procédure intime et intentionnelle qui nécessite une réflexion minutieuse sur la pratique du praticien, l'objectif du sort et les éléments utilisés. Dans cette section, nous discuterons des idées fondamentales qui sous-tendent la création d'un bocal ensorcelé, ainsi que des méthodes qui entrent en jeu pour en créer un.

La première chose à faire pour créer un bocal ensorcelé est d'établir une intention distincte et bien définie. Il est important que l'objectif du praticien soit clair, atteignable et en harmonie avec ses valeurs et ses objectifs. L'objectif devrait également être centré sur des conséquences positives, telles qu'attirer l'amour ou le succès, plutôt que sur des résultats négatifs, tels que l'exil ou la malédiction. Cela est dû au fait que les résultats positifs ont plus de chances d'avoir l'effet souhaité.

Il est important pour le praticien de consacrer du temps à la réflexion sur son intention et de s'assurer qu'elle est en accord avec sa propre routine et son ensemble de croyances individuelles. Tenir un journal, méditer ou consulter un guide spirituel expérimenté sont autant de moyens excellents pour y parvenir.

Les éléments qui entrent dans un bocal ensorcelé sont l'un des aspects les plus importants à considérer lors de sa création. Les matériaux doivent être choisis en fonction de leurs correspondances avec l'intention du sort et les associations et préférences personnelles du praticien.

Les matériaux couramment utilisés dans les bocaux ensorcelés comprennent les herbes, les cristaux et les pierres, les amulettes et les symboles, les huiles et les huiles essentielles, les bougies, les objets personnels, le sel et d'autres matériaux. Les matériaux doivent être choisis en fonction de leurs propriétés énergétiques et de leurs correspondances, comme la lavande pour l'amour, le quartz clair pour amplifier l'énergie ou le tourmaline noire pour la protection.

Il est important de noter que les matériaux utilisés dans un bocal ensorcelé doivent être choisis avec intention et signification personnelle, plutôt que de simplement suivre une recette prescrite. Le praticien doit faire confiance à son intuition et choisir des matériaux qui résonnent avec son intention et sa pratique personnelle.

Le récipient utilisé pour un bocal ensorcelé est également une considération importante. Le récipient doit être choisi en fonction de son symbolisme et de son importance personnelle pour le praticien.

Les bocaux en verre, les récipients en métal, en argile ou en céramique, et en bois sont tous des choix populaires pour les bocaux ensorcelés. Le récipient doit pouvoir être scellé hermétiquement pour contenir les ingrédients et l'énergie du bocal ensorcelé.

Une fois qu'un récipient a été choisi, il peut être décoré avec des symboles, des couleurs ou des amulettes pour renforcer son énergie et son symbolisme. Ces décorations doivent correspondre à l'intention du sort et aux associations du matériau et de la forme du récipient.

Les symboles et les couleurs peuvent être utilisés pour renforcer le symbolisme et l'intention du récipient. Des amulettes et des objets peuvent également être ajoutés au récipient pour renforcer son énergie et son symbolisme.

Tout comme pour la sélection des matériaux, il est important de faire confiance à son intuition et de choisir des décorations qui résonnent avec l'intention et la pratique personnelle du praticien.

Avant d'ajouter les ingrédients au récipient, il est important de les préparer correctement. Cela peut impliquer de les purifier, de les charger ou de les imprégner d'intention et d'énergie.

La purification peut être effectuée avec de la fumée de sauge, de palo santo ou d'autres herbes purificatrices. Le chargement peut être effectué avec l'énergie du praticien, de la lune ou du soleil. L'imprégnation peut être réalisée en prononçant une intention ou un chant sur les ingrédients ou en les visualisant imprégnés d'énergie.

Le praticien doit consacrer du temps à la préparation des ingrédients avec soin et intention, en veillant à ce qu'ils soient en accord avec l'intention du sort et la pratique personnelle du praticien.

Une fois les ingrédients préparés, ils peuvent être ajoutés au récipient. Les ingrédients doivent être ajoutés en couches, chaque couche représentant un élément ou des correspondances différentes.

Par exemple, la première couche pourrait être du sel pour la protection, suivie d'herbes pour l'amour, puis de cristaux pour amplifier l'énergie. Des objets personnels ou d'autres matériaux peuvent être ajoutés au-dessus des couches pour renforcer l'énergie du bocal ensorcelé.

Il est important de visualiser l'intention du sort et l'énergie des ingrédients au fur et à mesure qu'ils sont ajoutés au récipient. Le praticien doit concentrer son attention et son énergie sur le bocal ensorcelé tout au long du processus, en l'imprégnant de son intention et de son pouvoir personnel.

Une fois que tous les ingrédients ont été inclus, le bocal doit être soigneusement et solidement refermé pour empêcher toute fuite du pouvoir du sort. Cela peut être accompli en couvrant l'ouverture du récipient avec un couvercle, un bouchon, ou en attachant fermement un morceau de tissu ou de ruban autour du bord de l'ouverture.

Avant de sceller le récipient, le praticien peut également choisir de prononcer une incantation ou un chant, en concentrant son intention sur l'énergie et l'intention du bocal ensorcelé. Cela peut aider à renforcer la connexion entre le praticien et le bocal ensorcelé et à en augmenter l'efficacité.

Une fois que le bocal ensorcelé a été créé, il peut être utilisé de diverses manières. Le praticien peut le placer dans un endroit bien en vue de sa maison, le porter avec lui dans un sac ou une poche, ou le mettre en terre.

Le praticien doit également passer du temps à se connecter régulièrement à l'énergie du bocal ensorcelé. Cela peut impliquer de méditer sur l'intention du sort, de prononcer des affirmations ou des incantations sur le bocal ensorcelé, ou simplement de passer du temps en sa présence.

Si le bocal ensorcelé est destiné à une utilisation à long terme, il est important de l'entretenir correctement. Cela peut impliquer de recharger ou de purifier l'énergie des ingrédients, de remplacer le récipient s'il est endommagé ou usé, ou d'ajouter de nouveaux matériaux au bocal ensorcelé pour en renforcer l'énergie et l'efficacité.

En conclusion, créer un bocal ensorcelé est un processus personnel et intentionnel qui nécessite une réflexion minutieuse sur les matériaux utilisés, l'intention du sort et la pratique personnelle du praticien. Établir une intention claire et concentrée, choisir des matériaux ayant une signification personnelle et des correspondances, sélectionner un récipient ayant une signification symbolique et décorer le récipient avec intention et symbolisme sont toutes des considérations essentielles dans la création d'un bocal ensorcelé puissant et efficace.

Préparer les ingrédients avec soin et intention, les ajouter au récipient avec concentration et visualisation, et sceller hermétiquement le récipient pour contenir l'énergie du bocal ensorcelé sont également des étapes importantes de sa création. Enfin, utiliser et entretenir correctement le bocal ensorcelé peut en augmenter l'efficacité et garantir sa durabilité en tant qu'outil de manifestation et de changement positif.

Chapitre II

L'Art de Créer des Bocaux En sorcellerie

Guide étape par étape pour créer un bocal ensorcelé

La création d'un bocal ensorcelé est un processus personnel et intentionnel qui peut être adapté pour répondre aux besoins et aux préférences individuels du praticien. Ce tutoriel détaillé offre un guide facile à suivre pour assembler un bocal ensorcelé, qui peut être modifié en fonction du rituel et des objectifs personnels de chacun.

Étape 1: Définir Votre Intention

La première chose à faire pour créer un bocal ensorcelé est d'établir une intention distincte et bien définie. Il est important que l'intention du praticien soit claire, qu'elle soit réalisable et qu'elle soit en accord avec ses valeurs et ses objectifs. L'intention doit également être centrée sur des conséquences positives, comme attirer l'amour ou le succès, plutôt que des résultats négatifs, tels que bannir ou maudire. C'est parce que les résultats positifs sont plus susceptibles d'avoir l'effet désiré.

Prenez le temps de réfléchir à votre objectif et vérifiez s'il est en adéquation avec votre mode de vie et vos croyances. Tenir un journal, méditer ou consulter un conseiller spirituel expérimenté sont autant de moyens excellents pour y parvenir.

Étape 2: Choisissez Vos Matériaux

Les composants qui entrent dans un bocal ensorcelé sont l'un des aspects les plus importants à considérer lors de sa création. Les matériaux doivent être choisis en fonction de leurs correspondances avec l'intention du sortilège et des associations et préférences personnelles du praticien.

Les matériaux couramment utilisés dans les bocaux ensorcelés comprennent les herbes, les cristaux et les pierres, les amulettes et les symboles, les huiles essentielles, les bougies, les objets personnels, le sel et autres matériaux. Les matériaux doivent être choisis en fonction de leurs propriétés énergétiques et correspondances, comme la lavande pour l'amour, le quartz clair pour amplifier l'énergie, ou la tourmaline noire pour la protection.

Choisissez des matériaux ayant une signification personnelle et des correspondances qui résonnent avec votre intention et votre pratique personnelle. Faites confiance à votre intuition et n'hésitez pas à expérimenter avec différents matériaux et combinaisons.

Étape 3: Sélectionnez Votre Contenant

Le choix du contenant utilisé pour un bocal ensorcelé est également une considération importante. Le contenant doit être choisi en fonction de son symbolisme et de sa signification personnelle pour le praticien.

Les bocaux en verre, les contenants en métal, les contenants en argile ou en céramique, et les contenants en bois sont tous des choix populaires pour les bocaux ensorcelés. Le contenant doit pouvoir être hermétiquement scellé pour contenir les ingrédients et l'énergie du bocal ensorcelé. Choisissez un contenant qui résonne avec votre pratique personnelle et votre intention. Tenez compte des associations et du symbolisme du matériau et de la forme du contenant.

Étape 4: Décorez Votre Contenant

Une fois qu'un contenant a été choisi, il peut être décoré avec des symboles, des couleurs ou des amulettes pour renforcer son énergie et son symbolisme. Ces décorations doivent correspondre à l'intention du sortilège et aux associations du matériau et de la forme du contenant.

Les symboles et les couleurs peuvent être utilisés pour renforcer le symbolisme et l'intention du contenant. Des amulettes et des objets peuvent également être ajoutés au contenant pour renforcer son énergie et son symbolisme. Tout comme pour la sélection des matériaux, il est important de faire confiance à son intuition et de choisir des décorations qui résonnent avec l'intention et la pratique personnelle du praticien.

Étape 5: Préparez Vos Ingrédients

Avant d'ajouter les ingrédients au contenant, il est important de les préparer correctement. Cela peut impliquer de les nettoyer, de les charger ou de les imprégner d'intention et d'énergie.

Le nettoyage peut être effectué avec de la fumée de sauge, de palo santo ou d'autres herbes de purification. Le chargement peut être effectué avec l'énergie du praticien, de la lune ou du soleil. L'imprégnation peut être effectuée en prononçant une intention ou un chant sur les ingrédients ou en les visualisant imprégnés d'énergie.

Prenez le temps de préparer les ingrédients avec soin et intention, en veillant à ce qu'ils soient en accord avec l'intention du sortilège et votre pratique personnelle.

Étape 6: Ajoutez Vos Ingrédients

Une fois que les ingrédients ont été préparés, ils peuvent être ajoutés au contenant. Les ingrédients doivent être ajoutés en couches, chaque couche représentant un élément ou des correspondances différents.

Par exemple, la première couche pourrait être du sel pour la protection, suivie d'herbes pour l'amour, puis de cristaux pour amplifier l'énergie. Des objets personnels ou d'autres matériaux peuvent être ajoutés au-dessus des couches pour renforcer l'énergie du bocal ensorcelé.

Visualisez l'objectif du sortilège et la puissance des composants lorsque vous les mettez dans le contenant un par un. Maintenez votre concentration et dirigez toute votre énergie vers le bocal ensorcelé tout au long du processus afin de l'imprégner de votre volonté et de votre propre puissance.

Étape 7: Scellez Votre Contenant

Après que tous les composants ont été inclus, le bocal doit être soigneusement et solidement scellé pour empêcher toute fuite de la puissance du sortilège. Cela peut être réalisé en couvrant l'ouverture du contenant avec un couvercle, un bouchon, ou en attachant un morceau de tissu ou de ruban très serré autour du bord de l'ouverture.

Avant de mettre le couvercle sur le bocal, vous pouvez également choisir de réciter une incantation ou un chant dans lequel vous dirigez votre attention vers la puissance et le but du bocal contenant le sortilège. Cela peut renforcer la connexion entre vous et le bocal ensorcelé, ce qui peut à son tour aider à augmenter la puissance du sort.

Étape 8: Chargez Votre Bocal Ensorcelé

Après avoir créé votre bocal ensorcelé, vous devez le charger avec votre énergie et votre intention. Cela peut être fait par la visualisation, la méditation, ou en récitant des affirmations ou des incantations au-dessus du bocal ensorcelé.

Passez du temps à vous connecter régulièrement avec l'énergie du bocal ensorcelé. Cela peut impliquer de méditer sur l'intention du sortilège, de réciter des affirmations ou des incantations au-dessus du bocal ensorcelé, ou tout simplement de passer du temps en sa présence.

Étape 9: Utilisez Votre Bocal Ensorcelé

Une fois que votre bocal ensorcelé a été créé et chargé, vous pouvez l'utiliser de différentes manières. Vous pouvez le placer dans un endroit visible de votre maison, le porter dans un sac ou une poche, ou l'enterrer dans la terre.

Passez du temps à vous connecter régulièrement avec l'énergie de votre bocal ensorcelé pour en maintenir l'efficacité. Si votre bocal ensorcelé est destiné à une utilisation à long terme, vous devrez peut-être recharger ou purifier l'énergie des ingrédients périodiquement, remplacer le contenant s'il est endommagé ou usé, ou ajouter de nouveaux matériaux au bocal ensorcelé pour renforcer son énergie et son efficacité.

En conclusion, créer un bocal ensorcelé est un processus personnel et intentionnel qui nécessite une réflexion minutieuse sur les matériaux utilisés, l'intention du sortilège et la pratique personnelle du praticien. Établir une intention claire et précise, choisir des matériaux ayant une signification personnelle et des correspondances, sélectionner un contenant ayant une signification symbolique, et décorer le contenant avec intention et symbolisme sont toutes des considérations essentielles dans la création d'un bocal ensorcelé puissant et efficace.

Préparer les ingrédients avec soin et intention, les ajouter au contenant avec concentration et visualisation, et sceller hermétiquement le contenant pour contenir l'énergie du bocal ensorcelé sont également des étapes importantes dans sa création. Enfin, charger votre bocal ensorcelé avec votre énergie et votre intention, et l'utiliser régulièrement, peut améliorer son efficacité et assurer sa longévité en tant qu'outil de manifestation et de changement positif.

Choix des ingrédients et leur signification

Choisir les bons ingrédients pour un bocal ensorcelé est une étape cruciale dans la création d'un outil puissant et efficace pour la manifestation. Chaque ingrédient utilisé dans un bocal ensorcelé possède son énergie unique et ses correspondances, et peut être sélectionné en fonction de l'intention du sortilège et des associations et préférences personnelles du praticien. Dans cet essai, nous explorerons la signification des différents ingrédients et comment les choisir pour votre bocal ensorcelé.

Les herbes sont un ingrédient fondamental dans les bocaux ensorcelés, croyant posséder diverses propriétés magiques et correspondances qui s'alignent sur des intentions spécifiques. Elles sont couramment utilisées dans une gamme de sorts, y compris les sorts d'amour, de protection et de prospérité. Voici quelques-unes des herbes les plus populaires utilisées dans les bocaux ensorcelés et leur signification.

La lavande est une herbe populaire utilisée dans les bocaux ensorcelés pour l'amour, la relaxation et la tranquillité. On croit que son parfum doux attire l'amour et la romance, tandis que ses propriétés apaisantes favorisent la détente et la tranquillité. La lavande a une longue histoire d'utilisation en aromathérapie, et son huile essentielle est connue pour favoriser la relaxation et réduire le stress et l'anxiété. Son utilisation dans les bocaux ensorcelés a un effet similaire, favorisant un sentiment de calme et de relaxation chez le praticien et renforçant l'énergie du sortilège.

Le romarin est une autre herbe populaire utilisée dans les bocaux ensorcelés pour la protection et la purification. On croit qu'il offre une protection contre les énergies négatives et favorise la clarté mentale et la concentration. Le romarin est utilisé depuis des siècles dans diverses cultures pour ses propriétés médicinales et magiques. Son huile essentielle est connue pour favoriser la clarté mentale et la concentration, tandis que ses propriétés antibactériennes en font un agent utile pour purifier les espaces et les objets. Son utilisation dans les bocaux ensorcelés renforce l'énergie protectrice du sortilège et favorise la clarté mentale et la concentration chez le praticien.

La cannelle est souvent utilisée dans les bocaux ensorcelés pour l'argent et l'abondance. On croit qu'elle attire la richesse et la prospérité, ainsi que qu'elle renforce les capacités psychiques. La cannelle a une longue histoire d'utilisation dans diverses cultures, en particulier dans la médecine traditionnelle et les pratiques religieuses. Ses propriétés réchauffantes la rendent utile pour améliorer la circulation et la digestion, tandis que son huile essentielle est connue pour favoriser le bien-être mental et émotionnel. Son utilisation dans les bocaux ensorcelés renforce l'énergie du sortilège, attirant l'abondance et la prospérité tout en renforçant les capacités psychiques et en améliorant le bien-être mental et émotionnel.

Le basilic est couramment utilisé dans les bocaux ensorcelés pour la protection, l'amour et la prospérité. On croit qu'il offre une protection contre les énergies négatives, attire l'amour et la romance, et favorise la prospérité et l'abondance. Le basilic est utilisé depuis des siècles dans diverses cultures pour ses propriétés médicinales et magiques. Son huile essentielle est connue pour favoriser le bien-être mental et émotionnel, tandis que ses propriétés antibactériennes en font un agent utile pour purifier les espaces et les objets. Son utilisation dans les bocaux ensorcelés renforce l'énergie du sortilège, favorisant la protection, l'amour et la prospérité.

Lors du choix des herbes pour un bocal ensorcelé, il est important de considérer leurs propriétés énergétiques et leurs correspondances. Chaque herbe a son énergie unique et ses associations, et les praticiens devraient choisir des herbes qui s'alignent avec l'intention de leur sortilège et qui résonnent avec leur pratique personnelle et leurs associations. Par exemple, si l'intention du sortilège est l'amour, des herbes comme la lavande ou les pétales de rose peuvent être appropriées. Si l'intention est la protection, des herbes comme le romarin ou le basilic peuvent être plus appropriées.

Les cristaux et les pierres sont un autre ingrédient important dans les bocaux ensorcelés, croyant posséder des propriétés énergétiques qui s'alignent sur des intentions spécifiques. Ils ont été utilisés dans diverses cultures depuis des siècles pour leurs propriétés curatives et magiques. Voici quelques-uns des cristaux et des pierres les plus populaires utilisés dans les bocaux ensorcelés et leur signification.

Étant donné qu'elle est un amplificateur d'énergie si puissant, le quartz clair est fréquemment inclus dans les bocaux ensorcelés afin d'augmenter l'efficacité des autres composants. Il est utilisé dans une variété de sorts en raison de la croyance répandue selon laquelle il améliore à la fois la clarté mentale et le développement spirituel. Dans de nombreuses civilisations différentes, en particulier dans la pratique de la méditation et d'autres activités spirituelles, le quartz clair a une longue histoire d'utilisation. Sa capacité à amplifier l'énergie le rend utile pour renforcer l'énergie du sortilège et stimuler la croissance et le développement spirituels chez le praticien. En raison de sa capacité à amplifier l'énergie, il est également excellent pour renforcer l'énergie du praticien.

Un autre cristal populaire utilisé dans les bocaux ensorcelés dans le but de fournir protection et purification est l'améthyste. Il est utile dans les sorts qui se concentrent sur le bien-être émotionnel et spirituel, car on pense qu'il crée un équilibre émotionnel et renforce l'intuition. Ces deux avantages le rendent utile dans les sorts. L'améthyste a une longue histoire d'utilisation dans diverses cultures, notamment dans les rituels et les cérémonies associés à la spiritualité et à la religion. En raison de ses caractéristiques protectrices et purifiantes, elle peut être utile pour promouvoir l'équilibre émotionnel et renforcer les capacités intuitives du praticien.

La citrine est une pierre associée à l'abondance et à la richesse ; par conséquent, elle est fréquemment incluse dans les bocaux d'argent et de succès. Elle est efficace dans les charmes qui se concentrent sur la richesse et la prospérité car on considère qu'elle apporte la richesse et inspire la positivité et la confiance. Ces qualités en font un atout dans les sorts. La citrine est utilisée depuis longtemps dans diverses cultures, notamment dans les domaines de la médecine traditionnelle et des rituels religieux. Elle favorise la prospérité et le succès chez le praticien grâce à sa capacité à attirer la richesse tout en favorisant la positivité et la confiance en soi.

La tourmaline noire est une pierre puissante de protection et d'ancrage qui est fréquemment incorporée dans les bocaux ensorcelés dans le but de repousser les énergies destructrices ou négatives. Elle est utile dans les sorts qui se concentrent sur la protection et l'ancrage car on considère qu'elle absorbe les énergies néfastes et offre une stabilité émotionnelle. Ces deux qualités en font un atout dans les sorts. Dans de nombreuses civilisations différentes, en particulier dans la pratique de la méditation et d'autres activités spirituelles, la tourmaline noire est utilisée depuis longtemps. Sa capacité à absorber les énergies négatives et à favoriser la stabilité émotionnelle en fait un atout pour la protection et l'ancrage chez le praticien.

Lors du choix des cristaux et des pierres pour un bocal ensorcelé, il est important de tenir compte de leurs correspondances et de l'intention du sortilège. Chaque cristal et pierre a son énergie unique et ses associations, et les praticiens devraient choisir des pierres qui s'alignent avec l'intention de leur sortilège et qui résonnent avec leur pratique personnelle et leurs associations. Par exemple, si l'intention du sortilège est la protection, des pierres comme la tourmaline noire ou l'obsidienne peuvent être appropriées. Si l'intention est l'abondance et la prospérité, des pierres comme la citrine ou l'aventurine verte peuvent être plus adaptées.

Les charmes et les symboles sont un autre élément important dans les bocaux ensorcelés, croyant qu'ils renforcent le pouvoir du sortilège et favorisent la manifestation de l'intention. Ils ont été utilisés dans diverses cultures depuis des siècles pour leurs propriétés protectrices et symboliques. Voici quelques-uns des charmes et des symboles les plus populaires utilisés dans les bocaux ensorcelés et leur signification.

Le pentacle est un symbole populaire utilisé dans les bocaux ensorcelés pour la protection, l'équilibre et la croissance spirituelle. C'est une étoile à cinq branches enfermée dans un cercle et représente les cinq éléments de la terre, de l'air, du feu, de l'eau et de l'esprit. On croit que le pentacle offre une protection contre les énergies négatives et favorise la croissance et le développement spirituel chez le praticien. Son utilisation dans les bocaux ensorcelés renforce l'énergie protectrice et spirituelle du sortilège et favorise l'équilibre et l'harmonie chez le praticien.

Le nœud celtique est un autre symbole populaire utilisé dans les bocaux ensorcelés pour la protection et l'unité. C'est un symbole d'interconnexion et représente l'unité de toutes les choses. On pense que le nœud celtique offre une protection contre les énergies néfastes et encourage l'harmonie émotionnelle. Son utilisation dans les bocaux ensorcelés amplifie l'énergie du sortilège, le rendant plus protecteur et équilibrant ; il encourage également l'unité et l'harmonie chez le praticien.

Le Hamsa, qui est un signe de protection et de bonne chance, est fréquemment utilisé dans les bocaux magiques destinés à apporter le succès et la protection. La main de Dieu est symbolisée par cet amulette, qui prend la forme d'une main avec un œil au centre. On croit largement que porter un Hamsa éloignera le "mauvais œil" et apportera à la personne qui le porte la bonne fortune et le succès financier. Il renforce l'énergie protectrice et chanceuse du sortilège, et apporte le succès et la fortune à la personne qui le lance.

Lors du choix des charmes et des symboles pour un bocal ensorcelé, il est important de tenir compte de leur signification culturelle et symbolique et de leurs correspondances avec l'intention du sortilège. Chaque charme et symbole a son énergie unique et ses associations, et les praticiens devraient choisir ceux qui s'alignent avec l'intention de leur sortilège et qui résonnent avec leur pratique personnelle et leurs associations. Par exemple, si l'intention du sortilège est la protection, des symboles comme le pentacle ou le Hamsa peuvent être appropriés. Si l'intention est le succès et la prospérité, des symboles comme le Hamsa ou le signe du dollar peuvent être plus adaptés.

Les huiles et les huiles essentielles sont un ingrédient populaire dans les bocaux ensorcelés, croyant qu'elles ajoutent une couche supplémentaire de correspondances énergétiques et renforcent le pouvoir du sortilège. Elles sont utilisées depuis des siècles pour leurs propriétés curatives et purifiantes. Voici quelques-unes des huiles et des huiles essentielles les plus populaires utilisées dans les bocaux ensorcelés et leur signification.

L'huile de rose est une huile populaire utilisée dans les bocaux ensorcelés pour l'amour et la romance. On dit que ceux qui la pratiquent connaîtront un amour accru dans leur vie ainsi qu'une guérison émotionnelle et une harmonie accrues. Lorsqu'elle est incluse dans les bocaux ensorcelés, elle amplifie l'énergie de la magie et contribue à créer un environnement plus aimant et agréable. L'huile de rose est également liée au chakra du cœur, et certaines personnes estiment que son utilisation peut augmenter à la fois l'amour de soi et la compassion envers les autres.

L'huile d'encens est une autre huile célèbre qui est utilisée dans les bocaux ensorcelés dans le but de fournir protection et purification. Elle est censée débarrasser le praticien des énergies négatives et favoriser le développement spirituel de ceux qui la pratiquent car c'est un puissant nettoyant. L'incorporation de cet élément dans les bocaux ensorcelés amplifie l'énergie protectrice et purificatrice du sortilège, contribuant ainsi à la création d'un environnement positif et clair. On pense que l'huile d'encens peut accroître la conscience spirituelle et la connexion avec le divin en raison de son association avec le chakra coronal.

En raison de son effet stimulant, l'huile de menthe poivrée est fréquemment incluse dans les bocaux ensorcelés destinés à améliorer la capacité à se concentrer et à penser clairement. On croit qu'elle renforce l'acuité mentale et favorise la positivité et la motivation chez le praticien. Son utilisation dans les bocaux ensorcelés amplifie l'énergie revigorante et motivante du sortilège et favorise la clarté mentale et la concentration. L'huile de menthe poivrée est également associée au chakra de la gorge et est censée améliorer la communication et l'expression de soi.

Lors du choix des huiles et des huiles essentielles pour un bocal ensorcelé, il est important de tenir compte de leurs correspondances et de l'intention du sortilège. Chaque huile a son énergie unique et ses associations, et les praticiens devraient choisir celles qui s'alignent avec l'intention de leur sortilège et qui résonnent avec leur pratique personnelle et leurs associations. Par exemple, si l'intention du sortilège est l'amour et la guérison émotionnelle, des huiles comme la rose ou l'ylang-ylang peuvent être appropriées. Si l'intention est la protection et la purification, des huiles comme l'encens ou la sauge peuvent être plus adaptées.

Des objets personnels peuvent également être ajoutés à un bocal ensorcelé pour renforcer son pouvoir et personnaliser son énergie. Il peut s'agir de photographies, de bijoux ou d'autres objets ayant une signification personnelle pour le praticien.

Le choix des ingrédients pour un bocal ensorcelé nécessite une réflexion minutieuse sur leurs propriétés énergétiques et leurs correspondances, ainsi que sur leur signification personnelle pour le praticien. Il est important de choisir des ingrédients qui s'alignent avec l'intention du sortilège et la pratique personnelle et les croyances du praticien.

Par exemple, un praticien qui travaille avec la magie de l'amour pourrait choisir d'utiliser des pétales de rose, des cristaux de quartz rose et de l'huile de rose dans son bocal ensorcelé. Un praticien qui travaille avec la magie de protection pourrait choisir d'utiliser de la tourmaline noire, des feuilles de laurier et un symbole de pentacle dans son bocal ensorcelé.

Il est également important de tenir compte de la qualité et de la source des ingrédients utilisés dans un bocal ensorcelé. Les praticiens devraient viser à utiliser des ingrédients de haute qualité qui ont été sourcés de manière éthique et cultivés sans l'utilisation de produits chimiques ou de pratiques nuisibles.

Lors de la sélection des ingrédients pour un bocal ensorcelé, il est également important de tenir compte de la forme dans laquelle ils sont utilisés. Par exemple, les herbes peuvent être utilisées fraîches ou séchées, et les cristaux peuvent être utilisés sous leur forme brute ou polis et taillés. La forme de l'ingrédient peut affecter son énergie et son efficacité dans le bocal ensorcelé.

Il est également important de tenir compte de la quantité de chaque ingrédient utilisée dans un bocal ensorcelé. Trop ou pas assez d'un ingrédient peut affecter l'énergie du bocal ensorcelé et son efficacité. Les praticiens devraient viser à utiliser la quantité appropriée de chaque ingrédient en fonction de ses propriétés énergétiques et de ses correspondances.

Enfin, il est important de tenir compte de la compatibilité des ingrédients utilisés dans un bocal ensorcelé. Certains ingrédients peuvent avoir des énergies ou des correspondances contradictoires, ce qui peut affecter l'efficacité du bocal ensorcelé. Les praticiens devraient viser à utiliser des ingrédients qui se complètent et renforcent l'énergie globale du bocal ensorcelé.

En conclusion, choisir les bons ingrédients pour un bocal ensorcelé est un processus personnel et intentionnel qui nécessite une réflexion minutieuse sur les correspondances et les propriétés de chaque ingrédient, ainsi que sur les associations et préférences personnelles du praticien. Les herbes, les cristaux et les pierres, les amulettes et les symboles, ainsi que les huiles et les huiles essentielles sont tous couramment utilisés dans les bocaux ensorcelés, chacun ayant son énergie unique et ses correspondances.

La signification personnelle peut également jouer un rôle dans la sélection des ingrédients, car les objets ayant une signification personnelle peuvent renforcer l'énergie et l'efficacité du bocal ensorcelé. Lorsque vous choisissez les ingrédients pour votre bocal ensorcelé, tenez compte de l'intention du sortilège, des correspondances et des propriétés de chaque ingrédient, ainsi que de vos associations et préférences personnelles. La bonne combinaison d'ingrédients peut créer un outil puissant et efficace pour la manifestation et le changement positif.

Symbolisme des couleurs et son importance dans les bocaux ensorcelés

La symbolique des couleurs est un aspect important des bocaux ensorcelés, car chaque couleur est censée posséder une correspondance énergétique unique qui s'aligne avec des intentions spécifiques. Dans cet essai, nous explorerons la signification de la symbolique des couleurs dans les bocaux ensorcelés et comment choisir des couleurs qui s'alignent avec l'intention de votre sort.

Le rouge est une couleur puissante souvent associée à l'amour et à la passion. On pense qu'elle stimule l'énergie, la vitalité et la motivation, ce qui en fait un choix populaire dans les bocaux ensorcelés pour l'amour et la romance. Le rouge est également associé au chakra racine, qui régit notre sentiment de sécurité et d'ancrage, en faisant un choix approprié pour les sorts liés à la stabilité et à la protection.

L'orange est une couleur chaleureuse et vibrante souvent associée à la créativité, à l'enthousiasme et au succès. On pense qu'elle stimule la créativité et l'inspiration, en en faisant un choix populaire dans les bocaux ensorcelés pour la manifestation et l'abondance. L'orange est également associée au chakra sacré, qui régit nos émotions et notre sexualité, en en faisant un choix approprié pour les sorts liés à la guérison émotionnelle et à l'équilibre.

Le jaune est une couleur joyeuse, optimiste et brillante souvent associée aux sentiments de bonheur, de joie et de contentement. Étant donné qu'on pense qu'elle améliore la capacité à se concentrer et à penser clairement, elle est souvent incluse dans les bocaux ensorcelés destinés à apporter le succès financier. En raison de sa connexion au chakra du plexus solaire, qui est responsable de notre estime de soi et de notre force personnelle, la couleur jaune est une excellente option pour les sorts qui se concentrent sur la construction de la confiance en soi et la promotion du développement personnel.

Le vert est une couleur souvent associée à la nature, à la croissance et à l'harmonie. C'est une couleur agréable et tranquille. On dit qu'elle encourage la guérison et le renouvellement, ce qui la rend fréquemment incluse dans les bocaux ensorcelés destinés à apporter la santé et l'abondance. Étant donné que la capacité d'aimer et de se connecter avec d'autres individus est régie par le chakra du cœur, associé à la couleur verte, cela fait de la couleur verte un excellent choix pour les sorts liés à l'amour et aux relations.

Le bleu est une couleur apaisante et sereine souvent associée à la communication, à la confiance et à l'intuition. En raison de la croyance répandue selon laquelle elle renforce à la fois la communication et l'intuition, elle est souvent incluse dans les bocaux ensorcelés conçus pour favoriser la croissance et le développement spirituel. Étant donné que le chakra de la gorge, qui est régi par la couleur bleue, est responsable de notre capacité à communiquer et à nous exprimer, la couleur bleue est un excellent choix pour les sorts liés à la communication et à l'expression de soi.

Le violet est une couleur mystérieuse et mystique souvent associée à l'illumination, à l'intuition et à une forte connexion avec son moi spirituel. On considère qu'elle favorise à la fois la conscience spirituelle et les capacités psychiques, ce qui en fait un choix courant pour une utilisation dans les bocaux ensorcelés destinés à la promotion de la croissance et de la conscience spirituelles. En raison de cette association avec le chakra du troisième œil, qui est responsable de notre intuition et de notre conscience spirituelle, la couleur violette est une excellente option pour les sorts concernant le développement des capacités psychiques et l'établissement d'une connexion avec des plans supérieurs.

Le noir est une couleur puissante et mystérieuse souvent associée à la protection, à l'établissement de sa base et à l'exclusion des indésirables. On pense qu'elle absorbe les énergies négatives et favorise l'ancrage et la stabilité, ce qui en fait un choix populaire dans les bocaux ensorcelés pour la protection et le bannissement. Le noir est également associé au chakra racine, qui régit notre sentiment de sécurité et d'ancrage, en en faisant un choix approprié pour les sorts liés à la stabilité et à la protection.

Le blanc est une couleur pure et purifiante souvent associée à la pureté, à la clarté et à la purification. On pense qu'elle favorise la pureté et la clarté de la pensée, en en faisant un choix populaire dans les bocaux ensorcelés pour la purification et la purification. Le blanc est également associé au chakra de la couronne, qui régit notre connexion au divin et à notre conscience spirituelle, en en faisant un choix approprié pour les sorts liés à la connexion spirituelle et à la purification.

Lorsque vous choisissez des couleurs pour votre bocal ensorcelé, il est important de prendre en compte leurs correspondances et l'intention de votre sort. Chaque couleur a son énergie unique et ses associations, et les praticiens devraient choisir celles qui s'alignent avec l'intention de leur sort et résonnent avec leur pratique et leurs associations personnelles.

En conclusion, la symbolique des couleurs est un aspect important des bocaux ensorcelés, car chaque couleur possède une correspondance énergétique unique qui s'aligne avec des intentions spécifiques. Les praticiens des bocaux ensorcelés peuvent utiliser la symbolique des couleurs pour renforcer l'efficacité de leurs sorts et obtenir les résultats souhaités. En choisissant des couleurs qui s'alignent avec l'intention de leur sort et résonnent avec leur pratique et leurs associations personnelles, ils peuvent créer des bocaux ensorcelés puissants et efficaces qui manifestent leurs désirs.

Pour incorporer la symbolique des couleurs dans vos bocaux ensorcelés, commencez par identifier l'intention de votre sort et les correspondances des différentes couleurs. Tenez compte des propriétés énergétiques et des associations de chaque couleur et sélectionnez celles qui s'alignent avec votre intention.

Ensuite, choisissez un contenant pour votre bocal ensorcelé qui correspond à la couleur de votre intention. Par exemple, si votre intention est liée à l'amour et à la romance, vous pourriez choisir un contenant rouge. En revanche, si votre intention est liée à l'abondance et à la prospérité, vous pourriez choisir un contenant vert.

Enfin, incorporez d'autres ingrédients qui correspondent à la couleur de votre intention, tels que des herbes, des cristaux, des huiles et des symboles. Cela renforcera davantage la correspondance énergétique de votre bocal ensorcelé et l'alignera avec le résultat souhaité.

En résumé, la symbolique des couleurs est un aspect important des bocaux ensorcelés qui peut renforcer l'efficacité de vos sorts et produire les résultats souhaités. En intégrant les correspondances des différentes couleurs dans votre pratique des bocaux ensorcelés, vous pouvez créer des outils puissants et efficaces pour la manifestation et la croissance spirituelle.

Chapitre III

Utilisation des
Bocaux En sorcellerie

Comment activer et charger votre bocal ensorcelé

Activer et charger un bocal ensorcelé est une étape importante pour en faire un outil puissant de manifestation. C'est le processus d'imprégner le bocal de votre intention et de votre énergie, en faisant ainsi un véhicule puissant pour manifester vos désirs. Voici quelques procédures à suivre pour activer et charger votre bocal ensorcelé.

La première étape consiste à définir votre intention. Avant de commencer à lancer des sorts avec votre bocal, vous devez vous assurer que vos intentions d'utilisation sont claires et bien définies. Cette intention doit être spécifique et en accord avec vos valeurs et vos désirs. Prenez un peu de temps pour concentrer votre énergie et votre attention sur votre intention, et visualisez-la se concrétisant.

La deuxième étape consiste à purifier votre espace. Afin de garantir que le processus de chargement de votre bocal ensorcelé se déroule le plus efficacement possible, il est essentiel de purifier votre environnement de toute énergie négative ou distraction qui pourrait entraver le processus. Vous pouvez utiliser différentes méthodes de purification, telles que la fumigation avec de la sauge ou du palo santo, saupoudrer du sel ou de l'eau bénite, ou jouer de la musique apaisante.

La troisième étape consiste à vous enraciner et à vous recentrer. Afin d'aligner votre énergie sur l'intention de votre sort, il est important de vous enraciner et de vous recentrer. Prenez quelques respirations profondes, concentrez-vous sur votre intention et visualisez-vous en train de vous enraciner et de vous recentrer.

La quatrième étape consiste à oindre votre bocal ensorcelé. Vous pouvez transférer le pouvoir de votre sort dans votre bocal de potions en l'oignant avec de l'eau ou de l'huile en accord avec le but du sort que vous avez l'intention de lancer. Utilisez une petite quantité d'huile ou d'eau et frottez-la à l'extérieur du bocal, en concentrant votre énergie et votre intention sur l'imprégnation du bocal de l'énergie nécessaire.

Mettre de l'énergie dans votre bocal ensorcelé est la cinquième étape du processus. Vous pouvez donner plus de puissance à votre bocal magique en le tenant dans vos mains tout en concentrant toute votre force et votre volonté sur le but d'y infuser la quantité d'énergie nécessaire. Visualisez votre intention se concrétisant et ressentez l'énergie qui se développe dans vos mains et se transfère dans le bocal.

La sixième étape consiste à sceller votre bocal ensorcelé. Pour finaliser le processus d'activation, vous pouvez sceller votre bocal ensorcelé avec de la cire de bougie ou un bouchon en liège. Cela aidera à contenir l'énergie à l'intérieur du bocal et à l'empêcher de s'échapper.

Enfin, avant de clore votre rituel d'activation, il est important d'exprimer votre gratitude envers l'Univers pour vous avoir aidé à manifester vos désirs. Remerciez l'Univers pour son soutien et ses conseils, et visualisez votre intention se concrétisant.

En conclusion, activer et charger votre bocal ensorcelé est une étape essentielle pour en faire un outil efficace de manifestation. En définissant une intention claire, en purifiant votre espace, en vous enracinant et en vous recentrant, en oignant et en ajoutant de l'énergie à votre bocal ensorcelé, en le scellant et en exprimant votre gratitude, vous pouvez l'imprégner de l'énergie nécessaire pour concrétiser vos désirs.

Où placer votre bocal ensorcelé

Lorsqu'il s'agit de bocaux magiques, l'emplacement du bocal peut être tout aussi important que les ingrédients et les intentions qui le sous-tendent. Il existe plusieurs facteurs à prendre en compte lors du choix de l'emplacement de votre bocal magique, et la compréhension de ces facteurs peut vous aider à maximiser l'efficacité de votre sort.

Votre objectif lorsque vous lancez le sort devrait être la première chose à laquelle vous pensez. Que souhaitez-vous accomplir avec l'utilisation de votre bocal magique ? S'agit-il de protection, d'amour, d'argent ou d'une autre intention ? Il est important que l'énergie de votre objectif et l'emplacement du bocal magique soient en lien les uns avec les autres. Par exemple, si vous souhaitez établir une barrière de protection, vous voudrez peut-être placer votre bocal à proximité d'une porte ou d'une fenêtre. Cela vous permettra de le faire de manière plus efficace.

Un autre facteur à prendre en compte est l'emplacement des éléments. Les bocaux utilisés pour lancer des sorts combinent souvent les éléments de la terre, de l'air, du feu et de l'eau, et il est important que l'emplacement du bocal soit aligné avec les éléments auxquels il correspond. Par exemple, si votre bocal de sort contient des éléments de la terre tels que des herbes ou des cristaux, vous voudrez peut-être le placer sur un rebord de fenêtre ou sur le sol pour entrer en connexion avec l'énergie d'ancrage de l'élément terre.

L'emplacement du bocal magique peut également être influencé par l'heure de la journée ou la saison. Par exemple, si votre intention concerne l'amour, vous voudrez peut-être placer votre bocal sur un rebord de fenêtre orienté vers l'est pendant les heures du matin pour être en phase avec l'énergie des nouveaux départs et des commencements frais. De même, si votre intention concerne l'abondance, vous voudrez peut-être placer votre bocal sur un rebord de fenêtre orienté vers l'ouest pendant les heures du soir pour être en phase avec l'énergie de l'achèvement et de la manifestation.

Pensez à l'énergie de l'espace où vous prévoyez de placer votre bocal magique. S'agit-il d'un endroit calme et paisible, ou est-il bruyant et chaotique ? Vous voudrez peut-être placer votre bocal magique dans un espace qui résonne énergétiquement avec votre intention. Par exemple, si votre intention est la détente et la tranquillité, vous voudrez peut-être placer votre bocal dans un espace calme et paisible comme une chambre à coucher ou une salle de méditation.

L'emplacement de votre bocal magique peut également être influencé par le signe astrologique ou la phase de la lune. Par exemple, si votre intention est la manifestation, vous voudrez peut-être placer votre bocal pendant une phase de lune croissante pour être en phase avec l'énergie de la croissance et de l'abondance.

Enfin, tenez compte de votre propre intuition et de vos associations personnelles avec certains espaces. Si un endroit particulier dans votre maison ou à l'extérieur vous semble énergétiquement chargé ou significatif, envisagez d'y placer votre bocal magique. Faire confiance à votre propre intuition et à vos associations personnelles peut être un outil puissant pour renforcer l'efficacité de votre sort.

Voici quelques exemples spécifiques d'endroits où placer un bocal magique en fonction de son objectif :

L'utilisation d'un bocal pour un sort d'amour vise à augmenter la quantité d'amour et de passion dans votre vie. Il est recommandé de le placer dans un endroit qui encourage la détente, la tranquillité et l'intimité afin de renforcer son énergie et son efficacité. Votre chambre à coucher, votre autel ou tout autre endroit où vous vous sentez détendu et à l'aise sont de bons exemples d'emplacements de ce type. De plus, vous pouvez positionner le bocal à proximité de symboles d'amour, tels que des bougies, des pétales de rose ou des photographies de vous et de votre partenaire.

L'objectif d'un bocal pour un sort de protection est de repousser l'énergie négative et de favoriser la sécurité émotionnelle et physique en créant une barrière protectrice autour de vous et de votre maison. Cette barrière peut être créée en plaçant un bocal pour un sort de protection dans votre maison. Il est recommandé de le positionner dans un endroit qui encourage la sécurité, la stabilité et l'ancrage afin de renforcer son énergie et son efficacité. Votre porte d'entrée, votre chambre à coucher et tout autre endroit de votre maison associé aux sentiments de sécurité et de protection sont de bons exemples de tels endroits. De plus, vous pouvez placer le bocal près d'objets associés à la protection, tels que des cristaux, des talismans ou des statues de divinités protectrices.

Un bocal pour un sort d'argent est un objet utilisé pour attirer la richesse, le succès et l'abondance dans votre vie. Il est recommandé de le placer dans un espace qui encourage l'expansion, la prospérité et une perspective positive afin de renforcer son énergie et d'augmenter son niveau d'efficacité. Votre espace de travail, votre autel ou tout autre espace où vous ressentez des sentiments de motivation et d'inspiration sont des exemples de tels endroits. De plus, vous pouvez positionner le bocal à proximité de choses symboliques de la richesse et de l'abondance, comme un bol rempli d'argent, une bougie verte ou une plante.

L'objectif d'un bocal pour un sort de santé est d'encourager le bien-être physique et émotionnel, ainsi que d'aider au processus de guérison et de rétablissement suite à une maladie ou un accident. Il est recommandé de le positionner dans un environnement qui encourage la détente, la revitalisation et les soins personnels afin de renforcer sa vitalité et son efficacité. Cela vous permettra de mieux prendre soin de vous. Des exemples d'emplacements de ce type comprennent votre chambre à coucher, votre espace de méditation ou tout autre endroit où vous vous sentez calme et paisible. De plus, vous pouvez placer le bocal près d'objets associés à la santé et au bien-être, tels que des cristaux de guérison, des huiles essentielles ou des plantes.

Un bocal pour un sort de succès vise à favoriser le succès dans n'importe quel domaine de votre vie, que ce soit votre carrière, votre éducation ou vos objectifs personnels. Pour renforcer son énergie et son efficacité, il est recommandé de le placer dans un endroit qui favorise la motivation, l'inspiration et la productivité.

Des exemples d'emplacements de ce type comprennent votre espace de travail, votre espace d'étude ou tout autre espace où vous vous sentez concentré et déterminé. De plus, vous pouvez placer le bocal près d'objets associés au succès et à la réalisation, tels qu'un tableau de vision, une citation motivante ou un diplôme ou un certificat.

En fin de compte, l'emplacement d'un bocal magique devrait être basé sur l'intention du sort, l'énergie de l'espace, les associations personnelles et les correspondances, ainsi que tout autre facteur pouvant renforcer l'énergie du sort. En choisissant soigneusement l'emplacement de votre bocal magique, vous pouvez maximiser son efficacité et manifester le résultat souhaité.

Délais pour les résultats

L'utilisation de bocaux magiques pour manifester ses désirs est une pratique puissante et efficace, mais il est important de se rappeler que les résultats de l'utilisation d'un bocal magique peuvent ne pas être immédiats. Le délai pour obtenir des résultats peut varier en fonction de plusieurs facteurs, dont la complexité de l'intention, l'énergie et les efforts investis dans la création et l'activation du bocal magique, ainsi que l'alignement de l'énergie du praticien avec le résultat souhaité. Dans cet essai, nous explorerons les délais pour obtenir des résultats grâce à l'utilisation de bocaux magiques et les facteurs qui peuvent les influencer.

Tout d'abord, il est important de noter que les bocaux magiques ne sont pas une solution rapide pour résoudre des problèmes ou satisfaire des désirs. Ils sont une méthode de manifestation qui nécessite du praticien une grande quantité d'énergie, d'intention et de travail pour obtenir des résultats. En fonction de la complexité de l'intention et de la quantité d'efforts investis dans la pratique, le temps nécessaire pour voir des effets peut varier de quelques jours à plusieurs mois, voire années.

La durée nécessaire pour obtenir des résultats est fortement influencée par le niveau de difficulté de l'intention poursuivie. Par rapport à un objectif plus complexe, comme découvrir sa raison d'être ou guérir de profondes blessures émotionnelles, la manifestation d'une intention simple, telle qu'attirer plus d'abondance ou améliorer sa santé, peut se produire plus rapidement. Plus l'intention est compliquée, plus il faudra de temps et d'énergie pour la concrétiser, et plus il est probable que les résultats mettront du temps à se matérialiser.

La quantité d'efforts et d'énergie investis dans la création et l'activation du bocal magique est un autre élément qui peut influencer le délai avant d'obtenir des bénéfices. Plus il y a d'énergie et d'intention investies dans le bocal magique, plus il est probable qu'il manifestera le résultat souhaité. Si le praticien met peu d'efforts dans la création et l'activation du bocal magique, les résultats peuvent être retardés ou inefficaces.

L'alignement de l'énergie du praticien avec le résultat souhaité est également un facteur essentiel pour déterminer le délai avant d'obtenir des résultats. Si l'énergie du praticien n'est pas alignée avec le résultat souhaité, le processus de manifestation peut être retardé ou bloqué. Les praticiens doivent maintenir un état d'esprit positif et concentrer leur énergie et leur intention sur le résultat souhaité pour aligner pleinement leur énergie avec le processus de manifestation.

De plus, le moment de la manifestation peut également être affecté par des facteurs externes tels que des événements astrologiques, l'alignement des planètes et les énergies de l'univers. Par exemple, un bocal magique pour attirer l'abondance peut être plus efficace pendant une pleine lune, tandis qu'un bocal magique pour libérer des énergies négatives peut être plus efficace pendant une lune décroissante.

En fin de compte, le délai pour obtenir des résultats en utilisant un bocal magique varie et dépend de plusieurs facteurs, dont la complexité de l'intention, l'énergie et les efforts investis dans la création et l'activation du bocal magique, l'alignement de l'énergie du praticien avec le résultat souhaité, ainsi que des facteurs externes tels que des événements astrologiques. Il est important de se rappeler que les bocaux magiques sont un outil de manifestation qui nécessite patience, dévouement et alignement avec l'énergie et l'intention du praticien. Les praticiens devraient avoir confiance en la puissance de leur intention et en la capacité de l'univers à manifester leurs désirs au bon moment et de la bonne manière.

Chapitre IV

Sorts et leurs
Bocaux Correspondants

Sorts d'amour et bocaux correspondants

Les sorts d'amour et les bocaux d'amour ont été utilisés pendant des siècles par des personnes cherchant à attirer l'amour ou à améliorer leurs relations romantiques. L'histoire de ces pratiques remonte aux civilisations anciennes, où la magie de l'amour faisait souvent partie de la vie quotidienne. Dans cette section, nous explorerons l'histoire des sorts d'amour et des bocaux d'amour, ainsi que les façons dont ces pratiques ont évolué au fil du temps.

Les bocaux d'amour et les sorts d'amour ont été utilisés tout au long de l'histoire dans diverses civilisations et religions. Dans la Grèce et la Rome antiques, les sorts d'amour étaient jetés pour attirer un amoureux potentiel ou garantir qu'un amoureux existant resterait fidèle. En Égypte, les sorts d'amour étaient lancés pour attirer l'attention d'une personne spécifique, tandis qu'en Chine, des charmes d'amour étaient portés pour favoriser la fertilité et augmenter les chances de trouver un partenaire compatible.

En Europe au cours du Moyen Âge, la magie de l'amour a été associée à la sorcellerie et était souvent considérée comme une menace pour les croyances chrétiennes de l'époque. Les bocaux d'amour et les sorts d'amour étaient utilisés par les hommes et les femmes, et étaient souvent réalisés avec l'aide d'une sorcière ou d'une autre femme rusée. Ces praticiennes créaient des potions d'amour ou des charmes censés avoir le pouvoir d'attirer une personne spécifique ou d'augmenter l'attrait envers des prétendants potentiels.

Le bouche-à-oreille était le principal moyen par lequel les sorts d'amour et les bocaux d'amour étaient transmis de génération en génération dans de nombreuses cultures différentes. Ces pratiques étaient considérées comme une sorte de magie populaire. Le terme « magie populaire » désigne un style de magie pratiqué par des gens ordinaires par opposition aux magiciens ayant suivi une formation formelle ou travaillant professionnellement. Les herbes, les pierres et les bougies sont quelques-uns des éléments naturels utilisés dans cette pratique, qui repose souvent sur les croyances et les traditions locales de la communauté.

L'utilisation de potions d'amour et de bocaux d'amour a perduré jusqu'à l'époque moderne, de nombreuses personnes ayant recours à ces pratiques dans l'espoir de trouver l'épanouissement romantique dans leur vie. Un regain d'intérêt pour les sorts d'amour et les bocaux d'amour est apparu au XXe siècle grâce à la pratique répandue de la Wicca et d'autres variétés de sorcellerie moderne. Ces techniques sont encore couramment utilisées de nos jours, et de nombreuses personnes intègrent certains de leurs aspects dans leurs rituels spirituels ou magiques.

Les sorts d'amour et les bocaux d'amour ont évolué au fil du temps, les praticiens adaptant leurs techniques et leurs ingrédients aux époques changeantes. De nos jours, les potions d'amour et les bocaux d'amour peuvent revêtir de nombreuses formes différentes, allant de la magie populaire ancestrale à la sorcellerie plus contemporaine. Certains praticiens utilisent des cristaux et des pierres, tandis que d'autres mettent l'accent sur le pouvoir de l'intention et de la vision. Il existe même des communautés et des sites web dédiés aux sorts d'amour et aux bocaux d'amour en ligne, où les praticiens peuvent échanger leurs connaissances et leurs expériences les uns avec les autres.

Il est essentiel de garder à l'esprit que l'utilisation de sorts d'amour et de bocaux d'amour, bien qu'ils puissent être un outil puissant pour attirer l'amour et enrichir les relations, doit être faite de manière responsable et respectueuse du libre arbitre des autres personnes. Les sorts d'amour et les bocaux d'amour ne doivent jamais être utilisés pour manipuler ou contrôler une autre personne, et les praticiens doivent toujours veiller à aligner leurs objectifs sur ce qui est dans le meilleur intérêt de tous ceux qui sont impliqués.

Ces sorts et bocaux peuvent revêtir de nombreuses formes différentes, chacune ayant son objectif spécifique et sa méthode d'utilisation. Voici quelques-uns des différents types de sorts d'amour et de bocaux d'amour couramment utilisés aujourd'hui.

Les bocaux et sorts d'attirance sont utilisés pour acquérir de nouveaux amours et partenaires romantiques. Ces sorts et bocaux sont destinés à aider le praticien à créer une aura d'attirance autour de lui-même, ce qui le rendra attrayant pour de potentiels partenaires romantiques. Des ingrédients tels que des pétales de rose, de la lavande ou de la cannelle, qui sont censés augmenter l'attirance romantique, peuvent être inclus dans ces produits. Le praticien peut également choisir d'incorporer des objets personnels ou des images d'un partenaire potentiel, et il peut concentrer son intention sur l'apport de l'amour et de la romance dans sa propre vie.

Les sorts et bocaux de liaison sont utilisés pour renforcer et consolider une connexion romantique déjà existante. Ces sorts et bocaux sont conçus pour créer un lien profond et durable entre deux personnes, rendant difficile l'interférence de forces extérieures dans la relation. Les ingrédients peuvent inclure des cristaux de quartz rose, censés favoriser l'amour et la guérison émotionnelle, ou du romarin, censé offrir une protection contre les énergies négatives. Le praticien peut également inclure des objets personnels ou des photographies de lui-même et de son partenaire, et concentrer son intention sur l'approfondissement de l'amour et de l'engagement entre eux.

Les sorts et bocaux de réconciliation sont utilisés pour guérir et réparer une relation romantique brisée. Ces sorts et bocaux visent à réunir deux amoureux en désaccord, favorisant le pardon et la compréhension. Les ingrédients peuvent inclure des pétales de rose, censés favoriser la guérison émotionnelle et le pardon, ou du romarin, censé offrir une protection contre les énergies négatives. Le praticien peut également inclure des objets personnels ou des photographies de lui-même et de son partenaire, et concentrer son intention sur la guérison des blessures du passé et la reconstruction de leur relation.

Les sorts et bocaux d'amour-propre sont utilisés pour promouvoir l'amour-propre et l'acceptation de soi, ce qui peut à son tour améliorer la capacité à attirer et à maintenir des relations romantiques saines. L'utilisation de ces sorts et bocaux vise à aider le praticien à développer un fort sentiment de valeur personnelle et de confiance, des qualités qui peuvent le rendre plus attrayant pour de potentiels partenaires romantiques. Des herbes comme la camomille et la lavande, qui sont censées favoriser la stabilité émotionnelle et la sérénité, peuvent être incluses en tant qu'ingrédients. Les cristaux de quartz rose, qui sont censés encourager l'amour-propre et la guérison émotionnelle, peuvent également être inclus. De plus, le praticien peut choisir d'inclure des images ou des objets personnels qui sont significatifs pour lui en termes de sa valeur personnelle, et il peut centrer son objectif sur la promotion de son bien-être et de son plaisir personnel.

Dans les relations romantiques, les individus se tournent souvent vers les sorts et les bocaux de passion pour augmenter leur désir sexuel et leur niveau d'intimité. Ces sorts et bocaux sont destinés à créer une attraction sexuelle profonde et puissante entre les partenaires, contribuant ainsi à un sentiment d'excitation et de passion au sein du partenariat romantique. Les ingrédients peuvent inclure des herbes telles que la cannelle ou le damiana, censées renforcer le désir sexuel, ou des bougies rouges, associées à la passion et au désir. Le praticien peut également inclure des objets personnels ou des photographies représentant ses désirs sexuels, et concentrer son intention sur la création d'une connexion sexuelle profonde et épanouissante avec son partenaire.

Il existe de nombreux ingrédients différents pouvant être utilisés dans les bocaux de sorts d'amour, chacun ayant ses propres propriétés et correspondances uniques. Voici quelques ingrédients couramment utilisés dans les bocaux de sorts d'amour :

Les pétales de rose sont un ingrédient courant dans les bocaux de sorts d'amour, car ils sont associés à l'amour et à la romance. Le parfum doux des roses est censé attirer l'amour et la passion, ce qui en fait un choix populaire pour ceux qui cherchent à améliorer les aspects romantiques de leur vie. De plus, les roses sont également associées à la guérison émotionnelle et à l'équilibre, ce qui peut être important pour entretenir une relation saine et durable.

La lavande est un autre ingrédient populaire utilisé dans les bocaux de sorts d'amour. Elle est liée à la relaxation et au calme, tous deux essentiels pour créer un environnement calme et harmonieux favorable à l'épanouissement de l'amour. On croit également que la lavande peut favoriser la guérison émotionnelle et l'équilibre, ce qui peut être utile pour surmonter les expériences traumatiques passées ou les problèmes relationnels qui pourraient empêcher l'établissement d'une nouvelle relation.

Le quartz rose est une pierre précieuse puissante qui est souvent placée dans des bocaux pour être utilisée comme sorts d'amour. On dit qu'il attire de nouvelles relations amoureuses et renforce celles qui existent déjà en raison de son association avec l'amour et la compassion. On pense également que le quartz rose favorise la guérison émotionnelle et l'équilibre, tous deux étant des éléments essentiels dans le processus de cultivation d'une relation bonne et durable. Pour augmenter la puissance de leur bocal de sort d'amour, de nombreux praticiens préfèrent incorporer des morceaux de quartz rose ou un petit cristal de quartz rose dans leur rituel.

La cannelle est un ingrédient courant utilisé dans les bocaux de sorts d'amour pour son association avec la passion et la romance. On pense qu'elle augmente le désir sexuel et rétablit une relation qui a été perdue. La création d'une atmosphère saine et propice à la croissance d'une nouvelle relation nécessite un environnement stable et prospère, ce qui peut être facilité par l'utilisation de la cannelle, associée à l'abondance et à la prospérité.

Le cardamome est une autre épice couramment utilisée dans les bocaux de sorts d'amour. On considère qu'elle stimule l'attraction et le désir sexuel et qu'elle est associée à la passion et au désir en raison de ces associations. On pense également que la cardamome peut favoriser la guérison émotionnelle et l'équilibre, tous deux étant essentiels dans le processus de cultivation d'une relation bonne et durable.

En raison de sa réputation d'amplificateur d'amour et d'attraction, le jasmin est souvent inclus comme ingrédient dans les bocaux de sorts d'amour. On pense qu'il amplifie les sentiments d'attraction romantique et renforce les liens des partenariats préexistants. Le jasmin est également associé à la guérison émotionnelle et à l'équilibre, ce qui peut être utile pour surmonter d'anciens traumatismes ou les défis relationnels qui pourraient empêcher l'établissement d'une nouvelle relation. Le jasmin est une fleur qui fleurit d'avril à juin.

Le gingembre est un ingrédient courant utilisé dans les bocaux de sorts d'amour pour son association avec la passion et le désir. On pense qu'il augmente le désir sexuel et rétablit une relation qui a été perdue. Le gingembre est également associé à la guérison émotionnelle et à l'équilibre, tous deux étant bénéfiques dans le processus de cultivation d'une connexion saine et durable entre deux personnes.

La vanille est un autre ingrédient courant utilisé dans les bocaux de sorts d'amour. On dit qu'elle améliore l'attraction et le désir sexuel, ainsi que les sentiments d'amour et de plaisir qui les accompagnent. La vanille est également associée à la guérison émotionnelle et à l'équilibre, ce qui peut être utile pour surmonter les expériences traumatiques passées ou les défis relationnels qui pourraient empêcher l'établissement d'une nouvelle relation.

Un bocal de sort d'amour est un instrument puissant qui peut être utilisé pour attirer plus d'amour et de passion dans sa vie. Il peut être adapté aux besoins de l'utilisateur en utilisant divers composants, tels que des herbes, des cristaux et des charmes, qui sont en harmonie avec l'effet souhaité du sort. Une fois que les ingrédients ont été sélectionnés et que le bocal a été préparé, il est important d'activer et de charger le bocal de sort pour l'imbiber de l'énergie nécessaire.

La première étape dans la création d'un bocal de sort d'amour est de choisir un contenant qui résonne avec votre intention et votre style personnel. Le contenant peut être un bocal en verre, une petite boîte en bois ou tout autre contenant qui peut être fermé hermétiquement. Une fois le contenant choisi, il est important de le purifier de toute énergie négative et de le décorer avec des symboles, des charmes ou d'autres touches personnelles en harmonie avec votre intention.

Ensuite, sélectionnez des herbes, des cristaux et d'autres ingrédients en correspondance avec l'intention du sort d'amour. Quelques ingrédients couramment utilisés dans les bocaux de sorts d'amour comprennent les pétales de rose pour l'amour et la romance, la lavande pour la relaxation et la tranquillité, et la cannelle pour la passion et le désir. De plus, des cristaux tels que le quartz rose et le grenat peuvent être utilisés pour renforcer l'énergie du bocal de sort d'amour.

Une fois les ingrédients sélectionnés, placez-les dans le contenant et scellez-le hermétiquement. Il est important de concentrer votre énergie et votre intention sur le bocal de sort d'amour tout en ajoutant chaque ingrédient, en visualisant le résultat souhaité et en imprégnant le bocal de l'énergie nécessaire.

Un bocal de sort d'amour peut être un outil puissant pour manifester l'amour et la romance dans sa vie. Il contient des ingrédients soigneusement sélectionnés qui sont censés posséder des propriétés énergétiques pouvant aider à attirer l'amour et à renforcer l'énergie de l'intention. Cependant, pour qu'un bocal de sort d'amour soit efficace, il doit être activé et chargé de l'énergie nécessaire. Voici quelques étapes pour activer et charger un bocal de sort d'amour :

La première étape pour activer votre bocal de sort d'amour consiste à définir une intention claire et spécifique pour son utilisation. Cette intention doit être en harmonie avec vos valeurs et vos désirs et doit être quelque chose que vous voulez vraiment manifester dans votre vie. Prenez un peu de temps pour concentrer votre énergie et votre attention sur votre intention et visualisez son aboutissement.

Avant de charger votre bocal de sort d'amour, il est important de purifier votre espace de toute énergie négative ou distraction qui pourrait interférer avec le processus d'activation. Cela peut être fait par diverses méthodes telles que l'encens à la sauge ou au palo santo, le saupoudrage de sel ou d'eau bénite, ou la diffusion de musique apaisante.

Une fois que vous avez nettoyé votre espace, il est important de vous enraciner et de vous recentrer. Prenez quelques respirations profondes et concentrez-vous sur votre intention, visualisant que vous devenez enraciné et centré. Cela alignera votre énergie sur l'intention de votre bocal de sort d'amour.

Ensuite, vous pouvez oindre votre bocal de sort d'amour avec de l'huile ou de l'eau correspondant à l'intention de votre sort. Frottez une petite quantité d'huile ou d'eau sur l'extérieur du bocal, en concentrant votre énergie et votre intention pour imprégner le bocal de l'énergie nécessaire.

Pour ajouter de l'énergie à votre bocal de sort d'amour, tenez-le dans vos mains et concentrez votre énergie et votre intention pour lui imprégner l'énergie nécessaire. Visualisez votre intention se concrétisant et ressentez l'énergie se construire dans vos mains et se transférer dans le bocal.

Une fois que vous avez chargé votre bocal de sort d'amour avec de l'énergie et de l'intention, vous pouvez le sceller avec de la cire de bougie ou un bouchon en liège. Cela aidera à contenir l'énergie à l'intérieur du bocal et à l'empêcher de s'échapper.

Enfin, il est important de placer votre bocal de sort d'amour dans un endroit qui est en harmonie avec l'intention de votre sort. Si votre intention est d'attirer l'amour dans votre vie, vous voudrez peut-être placer votre bocal de sort d'amour dans votre chambre à coucher ou dans un endroit associé à la romance et à l'amour.

Pour maintenir l'énergie de votre bocal de sort d'amour, il est important de le recharger régulièrement avec de l'énergie et de l'intention. Cela peut être fait en répétant le processus d'activation périodiquement ou simplement en tenant le bocal et en visualisant votre intention. Avec ces étapes, vous pouvez créer un outil puissant pour attirer l'amour et la romance dans votre vie.

Sorts de richesse et d'abondance et bocaux correspondants

Les sorts et bocaux pour la richesse et l'abondance sont utilisés depuis des siècles par des individus cherchant à manifester la prospérité financière et l'abondance dans leur vie. L'histoire de ces pratiques remonte aux civilisations anciennes telles que les Égyptiens et les Grecs, qui croyaient au pouvoir de la magie et à l'utilisation de talismans et d'amulettes pour attirer la bonne fortune.

Dans l'ancienne Égypte, des sorts et des amulettes étaient utilisés pour apporter prospérité et succès dans les affaires et l'agriculture. La déesse Isis était souvent invoquée dans ces sorts, car on croyait qu'elle avait le pouvoir d'accorder l'abondance financière et la richesse. De même, dans la Grèce antique, le dieu Hermès était souvent invoqué pour sa capacité à apporter prospérité et succès financier.

Tout au long du Moyen Âge et jusqu'à la période de la Renaissance, la magie et l'alchimie étaient des pratiques populaires pour rechercher la richesse et l'abondance. Les alchimistes croyaient en la transmutation des métaux de base en or et cherchaient à exploiter ce pouvoir pour apporter la prospérité financière. De plus, l'utilisation de talismans et de sigils est devenue populaire à cette époque comme moyen d'attirer l'abondance et la bonne fortune.

Dans l'histoire plus récente, les sorts et les bocaux de richesse et d'abondance ont été utilisés par des praticiens de diverses traditions spirituelles, notamment la Wicca et le Hoodoo. Ces pratiques impliquent souvent l'utilisation d'herbes, de cristaux, d'huiles et d'autres matériaux censés posséder des propriétés énergétiques capables d'attirer la richesse et l'abondance.

Les praticiens de diverses traditions spirituelles et magiques continuent de trouver une utilisation généralisée et attrayante dans les sorts de prospérité et d'abondance à l'époque moderne. La quête de la richesse matérielle par un grand nombre d'individus peut être comprise comme une tentative de réaliser leurs ambitions et de profiter au maximum de leur vie. Les bocaux de richesse et d'abondance sont un moyen réel et pratique d'exploiter le pouvoir de l'intention et de la manifestation pour attirer le succès financier et l'abondance. Les bocaux de richesse et d'abondance peuvent être trouvés en ligne ou dans des magasins spécialisés.

De plus en plus de personnes s'intéressent au pouvoir de la manifestation et à la loi de l'abondance, ce qui peut être attribué à la popularité croissante de la Loi de l'Attraction et au succès à la fois du livre et de l'adaptation cinématographique de "The Secret". L'utilisation de sorts de richesse et d'abondance offre une méthode pour concrétiser ces concepts et exploiter le pouvoir de l'intention et de l'imagerie pour obtenir le succès financier.

Ces sorts et bocaux sont utilisés depuis des siècles par des personnes de différentes cultures et traditions pour aider à manifester la richesse et la prospérité. Les différents types de sorts et de bocaux pour la richesse et l'abondance, ainsi que les éléments fréquemment utilisés en eux, seront discutés dans cette section.

Le type le plus populaire de sorts de richesse et d'abondance sont les bocaux et les sorts d'argent. Ces bocaux et sorts sont destinés à aider les individus à attirer la richesse et la prospérité financière dans leur vie. Des bougies vertes, des pièces de monnaie, de la cannelle, des feuilles de laurier, du basilic et d'autres matériaux sont souvent utilisés dans les rituels et les bocaux d'argent. Ces éléments, qui sont censés attirer la richesse ainsi que l'abondance, peuvent être utilisés pour renforcer l'énergie du sort ou du bocal.

Une autre catégorie de sorts de richesse et d'abondance destinés à attirer le succès et la fortune financière dans son travail sont les sorts et bocaux de carrière. Ces sorts et bocaux peuvent être utilisés pour manifester des opportunités d'emploi, des promotions et un succès financier dans sa carrière. La citrine, la pyrite, les feuilles de laurier et la camomille sont quelques éléments fréquemment utilisés dans les sorts et bocaux de carrière. Ces composants sont censés améliorer la confiance en soi, la motivation et le succès professionnel.

Les bocaux et les sorts d'entreprise sont destinés à attirer la richesse et l'abondance dans les activités commerciales. Ces bocaux et sorts peuvent être utilisés pour augmenter les ventes, attirer de nouveaux clients et augmenter les revenus. L'aventurine verte, l'œil de tigre, la cannelle et le basilic sont quelques-uns des ingrédients fréquemment utilisés dans les sorts et les bocaux pour les entreprises. Ces composants sont censés attirer l'argent et le succès dans les entreprises commerciales.

Un autre type de sort de richesse et d'abondance qui peut être utilisé pour attirer le succès financier et la prospérité sont les sorts et bocaux de chance. On peut utiliser ces bocaux et sorts pour améliorer sa chance dans plusieurs aspects de sa vie, y compris les finances, la carrière et les entreprises. Certains des ingrédients couramment utilisés dans les sorts et bocaux de chance comprennent les fers à cheval, les trèfles, la citrine et les feuilles de laurier. Ces ingrédients sont censés attirer la bonne chance et la prospérité.

Les sorts et bocaux de prospérité sont conçus pour attirer l'abondance et la prospérité dans sa vie. Ces sorts et bocaux peuvent être utilisés pour attirer le succès financier, le bonheur et l'épanouissement dans sa vie. Certains des ingrédients couramment utilisés dans les sorts et bocaux de prospérité comprennent la citrine, la pyrite, les bougies vertes, la cannelle et le basilic. Ces ingrédients sont censés renforcer son énergie et attirer la prospérité et l'abondance.

Les ingrédients utilisés dans ces bocaux à sorts varient en fonction des croyances du praticien, de son origine culturelle et de ses associations personnelles. Cependant, voici quelques ingrédients couramment utilisés dans les bocaux à sorts de richesse et d'abondance :

La cannelle est une herbe puissante souvent utilisée dans les sorts de richesse et d'abondance. On croit qu'elle attire l'argent, le succès, la prospérité et qu'elle renforce les capacités psychiques. La cannelle peut être incluse dans le bocal à sorts sous forme de bâton ou de poudre.

Les feuilles de laurier sont considérées comme apportant succès, abondance et bonne fortune, c'est pourquoi elles sont souvent utilisées dans les sorts de prospérité. Le bocal à sorts peut contenir des feuilles de laurier séchées ou de l'huile essentielle de feuilles de laurier.

Un cristal appelé aventurine verte est souvent utilisé dans les rituels d'abondance et de richesse. On croit qu'il attire la richesse, le succès, ainsi que la chance et la bonne fortune. Le cristal peut être placé dans le bocal à sorts, ou vous pouvez y mettre un bijou en cristal à la place.

Des cristaux puissants comme la pyrite sont fréquemment utilisés dans les sorts d'abondance et de richesse. On croit qu'ils attirent le succès financier, l'abondance et la prospérité. Le cristal peut être ajouté au bocal à sorts ou un bijou fait avec le cristal peut être ajouté au bocal.

L'herbe camomille est souvent utilisée dans les rituels pour attirer la richesse, l'argent et l'abondance. On pense qu'elle offre des caractéristiques apaisantes et apaisantes qui peuvent aider à éliminer les obstacles à la réussite financière. Le bocal à sorts peut contenir soit des feuilles de camomille séchées, soit de l'huile essentielle de camomille.

Un cristal appelé citrine est souvent utilisé dans les rituels d'abondance et de richesse. On croit qu'il favorise l'optimisme et la confiance tout en attirant la richesse, le succès et la prospérité. Le cristal peut être placé dans le bocal à sorts, ou vous pouvez y mettre un bijou en cristal à la place.

L'herbe romarin est souvent utilisée dans les sorts de prospérité car on pense qu'elle attire le succès, la richesse et l'abondance. On croit également qu'elle offre une protection contre les énergies négatives qui pourraient bloquer le succès financier. Le romarin peut être ajouté au bocal à sorts sous forme séchée ou sous forme d'huile essentielle.

La bergamote est un agrume souvent utilisé dans les sorts de richesse et d'abondance. On croit qu'elle attire l'argent, la prospérité et l'abondance, et qu'elle favorise la positivité et le bonheur. La bergamote peut être ajoutée au bocal à sorts sous forme d'huile ou d'herbe séchée.

Créer un bocal à sorts de richesse et d'abondance peut être un outil puissant pour manifester la prospérité financière et l'abondance dans sa vie. Un bocal à sorts est un contenant rempli d'ingrédients et chargé d'intention, et peut être personnalisé en fonction de ses besoins et de ses désirs spécifiques. Créer un bocal à sorts de richesse et d'abondance implique de sélectionner les bons ingrédients, de définir une intention claire et d'activer le bocal pour l'imprégner d'énergie et de puissance.

La première étape dans la création d'un bocal à sorts de richesse et d'abondance est de choisir les bons ingrédients. Certains ingrédients couramment utilisés dans les bocaux à sorts de richesse et d'abondance comprennent des herbes comme la cannelle, les feuilles de laurier et le basilic, des cristaux comme la citrine et la pyrite, et des symboles ou des charmes comme des pièces de monnaie, des billets de dollars et des bougies vertes. Chaque ingrédient a ses propres propriétés énergétiques et correspondances, et doit être choisi en fonction de sa capacité à s'aligner sur l'intention du sort.

Une fois les ingrédients sélectionnés, il est important de définir une intention claire pour le bocal à sorts. L'intention doit être spécifique et axée sur le résultat souhaité, comme attirer l'abondance financière ou augmenter ses revenus. L'intention doit également être en accord avec ses valeurs et ses désirs, et doit être écrite ou prononcée à voix haute pour consolider son pouvoir et sa signification.

Après avoir défini l'intention, les ingrédients doivent être soigneusement placés à l'intérieur du bocal, en les superposant de manière à ce que cela semble intuitivement puissant et significatif. Le bocal peut être décoré avec des symboles ou des charmes qui s'alignent sur l'intention, comme un ruban vert ou une pièce de monnaie attachée à l'extérieur du bocal. Une fois les ingrédients en place, le bocal doit être scellé et purifié de toute énergie négative ou distraction qui pourrait interférer avec le processus d'activation.

Pour activer le bocal à sorts de richesse et d'abondance, il est important de suivre un rituel ou un processus spécifique en accord avec sa pratique personnelle et ses associations. Cela peut inclure l'onction du bocal avec de l'huile ou de l'eau, l'ajout d'énergie au bocal par la visualisation et la méditation, et la fermeture du bocal avec de la cire de bougie ou un bouchon en liège pour contenir l'énergie à l'intérieur.

Une fois que le bocal a été activé, il peut être placé dans un endroit en accord avec l'intention du sort. Cela peut inclure un bureau à domicile, un bureau ou un endroit où les documents financiers sont stockés. Il est important de recharger régulièrement le bocal avec de l'énergie et de l'intention, soit en répétant le processus d'activation, soit par la visualisation et la méditation.

Créer un bocal à sorts de richesse et d'abondance peut être un outil puissant pour manifester la prospérité financière et l'abondance dans sa vie. En sélectionnant soigneusement les bons ingrédients, en définissant une intention claire et en activant le bocal avec de l'énergie et de l'intention, on peut s'aligner sur l'énergie de l'abondance et créer un outil puissant pour attirer la richesse et la prospérité financière.

Sorts de protection et bocaux correspondants

Les sorts de protection et les bocaux de protection sont utilisés depuis des siècles comme moyen de protéger les individus, les maisons et les communautés contre les énergies négatives, les dangers et les esprits maléfiques. L'histoire des sorts et des bocaux de protection remonte aux civilisations anciennes, où les gens utilisaient différentes formes de magie et de rituel pour se protéger des dangers.

Dans l'ancienne Égypte, par exemple, les individus utilisaient des amulettes et des talismans pour se protéger des énergies négatives et des dangers. Ces objets étaient souvent portés comme des bijoux ou transportés dans une petite pochette, car on pensait qu'ils possédaient de fortes caractéristiques protectrices.

Des talismans et des amulettes protecteurs similaires étaient fabriqués à partir d'herbes, de pierres et d'autres matériaux naturels dans l'ancienne Grèce et à Rome. Ces objets étaient souvent portés ou transportés comme une forme de protection, car on pensait qu'ils avaient la capacité de repousser les esprits maléfiques et les énergies négatives.

Les sorts et les bocaux de protection étaient souvent utilisés pendant le Moyen Âge comme moyen de défense contre les sorcières et autres types de magie noire. Les individus fabriquaient fréquemment des charmes et des talismans protecteurs à partir d'herbes, d'huiles et d'autres matériaux naturels, car ils pensaient qu'ils avaient la capacité de repousser les mauvais esprits et de se protéger contre les malédictions et les envoûtements.

Plus récemment, les sorts et les bocaux de protection sont devenus une forme populaire de magie et de rituel parmi les praticiens modernes de la sorcellerie et d'autres formes de spiritualité. De nombreuses personnes utilisent ces sorts et bocaux pour protéger leur maison, elles-mêmes et leurs biens contre les dangers, les énergies négatives et autres types d'attaques spirituelles.

Aujourd'hui, les rituels qui incluent le travail énergétique, la méditation et la visualisation sont souvent combinés avec les sorts et les bocaux de protection. On pense qu'ils ont la capacité de se défendre contre les énergies et les influences nuisibles, de favoriser l'harmonie émotionnelle et le bien-être, ainsi que de favoriser le développement spirituel.

Les sorts et les bocaux de protection se présentent sous différentes formes, chacune ayant un objectif et une fonction distincts. Les catégories les plus populaires de sorts et de bocaux protecteurs, ainsi que leurs applications prévues, seront discutées dans cette section.

Les sorts et les bocaux de protection personnelle sont destinés à protéger personnellement le praticien. Ces sorts et bocaux peuvent être utilisés pour la protection physique, émotionnelle ou spirituelle. Des herbes, des pierres et des charmes sont fréquemment utilisés dans les sorts et bocaux de protection personnelle, car on pense qu'ils possèdent des qualités protectrices.

La protection de la maison et de ses occupants est assurée par les sorts et les bocaux de protection pour la maison. Ces bocaux et sorts peuvent être utilisés pour repousser les intrus, les mauvaises vibrations et les influences néfastes. Le sel, les herbes, les cristaux et les symboles censés avoir des qualités protectrices se trouvent fréquemment dans les sorts et les bocaux de protection pour la maison.

Les sorts et les bocaux de protection pour les voyages visent à offrir une protection au praticien pendant ses déplacements. Vous pouvez utiliser ces sorts et bocaux pour repousser les accidents, le vol et d'autres incidents indésirables. Les cristaux, les charmes et les symboles censés avoir des énergies protectrices sont fréquemment utilisés dans les rituels et les bocaux de protection pour les voyages.

Les relations amoureuses sont protégées par les sorts et les bocaux de protection pour les relations. Ces bocaux et sorts peuvent être utilisés pour repousser les énergies défavorables, les interférences extérieures et les influences indésirables. Les herbes, les pierres et les symboles sont fréquemment inclus dans les sorts et les bocaux de protection pour les relations, car on pense qu'ils possèdent des qualités protectrices.

Les entreprises et leurs propriétaires sont protégés par les sorts et les bocaux de protection pour les entreprises. Ces bocaux et sorts peuvent être utilisés pour repousser les mauvaises vibrations, la concurrence et les pertes dans les affaires. Les cristaux, les herbes et les symboles censés avoir des énergies protectrices se trouvent fréquemment dans les sorts et les bocaux de protection pour les entreprises.

Les sorts et les bocaux de défense légale sont conçus pour protéger ceux qui sont impliqués dans des litiges juridiques. Ces sorts et bocaux peuvent être utilisés pour lutter contre les mauvaises vibrations, influencer les affaires judiciaires et se protéger contre des allégations infondées. Les sorts et bocaux de protection légale contiennent généralement des ingrédients tels que des herbes, des cristaux et des symboles qui sont censés posséder des énergies protectrices.

Le but des sorts et des bocaux de protection spirituelle est de protéger le praticien contre les énergies néfastes et les influences spirituelles indésirables. Vous pouvez utiliser ces sorts et bocaux pour repousser les attaques psychiques, les intrusions spirituelles et les créatures spirituelles indésirables. Les herbes, les cristaux et les symboles sont fréquemment inclus dans les sorts et les bocaux de protection spirituelle car on pense qu'ils possèdent des qualités protectrices.

Ces sorts et bocaux ont été utilisés dans divers rituels spirituels depuis des siècles, et ils contiennent souvent des ingrédients spécifiques censés avoir des caractéristiques protectrices. Nous allons examiner certains des ingrédients fréquemment trouvés dans les bocaux et les sorts de protection dans cette section.

L'un des composants les plus fréquemment utilisés dans les sorts et les bocaux de protection est le sel. On pense qu'il possède des propriétés nettoyantes et purifiantes qui peuvent aider à éliminer les énergies négatives et les entités d'un espace. Le sel est souvent utilisé dans les sorts et les bocaux destinés à repousser les attaques psychiques, les énergies négatives et les créatures spirituelles.

La tourmaline noire est une pierre puissante de protection et est souvent présente dans les bocaux et les rituels de protection. On pense qu'elle absorbe les énergies négatives et offre une défense contre les créatures spirituelles, les attaques psychiques et les intentions néfastes. La tourmaline noire est un ajout parfait aux sorts et bocaux de protection car on pense qu'elle favorise la stabilité et l'enracinement.

L'ail, un composant puissant, est censé offrir une protection contre les esprits maléfiques et les êtres. Il est fréquemment intégré dans les sorts et les bocaux de protection pour repousser les intentions malveillantes, les intrusions psychiques et les esprits nuisibles. L'ail est un ingrédient clé dans de nombreux sorts et bocaux de protection car on dit qu'il possède de puissants pouvoirs purifiants et protecteurs.

L'herbe populaire romarin est souvent utilisée dans les bocaux et les rituels de protection. On pense qu'elle favorise la clarté mentale et l'attention tout en offrant une protection contre les énergies négatives et les entités. De plus, le romarin est censé posséder des propriétés purifiantes qui pourraient aider à éliminer les énergies indésirables d'un espace.

L'améthyste est une pierre puissante de protection et est souvent présente dans les bocaux et les rituels de protection. On pense qu'elle favorise l'harmonie émotionnelle, le développement spirituel et la protection contre les énergies négatives. L'améthyste est un composant idéal pour les sorts et bocaux de protection car on pense qu'elle améliore l'intuition et favorise la clarté mentale.

La sauge est une herbe puissante souvent utilisée dans les bocaux et les sorts de protection. On pense qu'elle possède des caractéristiques nettoyantes et purifiantes qui peuvent aider à éliminer le karma négatif et les entités d'un endroit. La sauge est également censée offrir une défense contre les intentions malveillantes, les attaques psychiques et les esprits maléfiques.

Le fer est un ingrédient protecteur puissant souvent utilisé dans les sorts et les bocaux de protection. On pense qu'il offre une protection contre les énergies négatives et repousse les esprits et les entités nuisibles. On pense également que le fer favorise l'enracinement et la stabilité, ce qui en fait un ingrédient idéal pour les sorts et bocaux de protection.

Les feuilles de laurier sont une herbe populaire souvent utilisée dans les sorts et les bocaux de protection. On pense qu'elles offrent une protection contre les intentions négatives et favorisent la clarté et la concentration mentale. Les feuilles de laurier sont également censées posséder des propriétés purifiantes qui peuvent aider à éliminer les énergies négatives d'un espace.

Les bocaux de sorts de protection sont un outil puissant dans la pratique magique, souvent utilisé pour repousser les énergies négatives et se protéger contre les dangers. Ces bocaux peuvent être créés avec une variété d'ingrédients, tels que des herbes, des cristaux et des symboles, chacun ayant ses propres correspondances et énergies uniques. Pour créer et activer efficacement un bocal de sort de protection, il est important de comprendre le but et l'énergie des ingrédients, ainsi que les étapes impliquées dans le processus d'activation.

Pour créer un bocal de sort de protection, commencez par rassembler les ingrédients nécessaires. Cela peut inclure des herbes telles que la sauge, le romarin et les feuilles de laurier, des cristaux comme la tourmaline noire et l'améthyste, et des symboles tels que le pentacle ou le Hamsa. Choisissez des ingrédients qui résonnent avec votre pratique personnelle et qui sont en accord avec l'énergie de votre intention.

Ensuite, choisissez un contenant pour votre bocal de sort. Le contenant doit être en verre ou en céramique et avoir un couvercle ou un bouchon pour sceller l'énergie. Tenez compte de la taille du contenant, ainsi que de sa forme et de sa couleur, car cela peut également influencer l'énergie du bocal de sort.

Une fois que vous avez vos ingrédients et votre contenant, commencez à les superposer dans le bocal. Commencez par une couche de base de sel ou de sable pour aider à absorber l'énergie négative, puis ajoutez vos herbes et vos cristaux. Vous pouvez également choisir d'ajouter un symbole ou un charme au bocal, comme un petit pentacle ou une main de Hamsa.

À mesure que vous ajoutez chaque ingrédient, concentrez votre intention et votre énergie sur son objectif et ses correspondances. Visualisez l'énergie de chaque ingrédient se réunissant pour former une puissante barrière protectrice autour de vous ou du destinataire prévu du sort.

Les sorts et les bocaux de protection sont conçus pour tenir à distance l'énergie négative, les entités et les intentions nuisibles. La création d'un bocal de sort de protection est une expérience puissante et personnelle qui nécessite de l'intention, de la concentration et du dévouement. Cependant, la création d'un bocal de sort de protection n'est que la première étape dans le processus de protection de soi-même ou de son espace. Pour rendre le bocal efficace, il doit être activé et chargé en énergie.

Le processus d'activation et de chargement implique d'infuser le bocal d'énergie et d'intention, créant ainsi une puissante barrière protectrice. Voici quelques étapes pour activer et charger un bocal de sort de protection :

Avant d'activer votre bocal de sort de protection, il est important de définir une intention claire pour son utilisation. Cette intention doit être spécifique et en accord avec vos valeurs et vos désirs. Prenez le temps de concentrer votre énergie et votre attention sur votre intention, et visualisez-la se concrétisant. Votre intention doit être de créer un bouclier protecteur autour de vous ou de votre espace, repoussant l'énergie négative et les entités.

Avant de charger votre bocal de sort de protection, il est important de nettoyer votre espace de toute énergie négative ou distractions qui pourraient interférer avec le processus d'activation. Vous pouvez utiliser diverses méthodes de nettoyage, telles que l'encens à la sauge ou le palo santo, saupoudrer du sel ou de l'eau bénite, ou jouer de la musique apaisante. Assurez-vous de nettoyer la zone où vous activerez le bocal de sort.

Pour aligner votre énergie avec l'intention de votre bocal de sort de protection, il est important de vous enraciner et de vous recentrer. Prenez quelques respirations profondes, concentrez-vous sur votre intention et visualisez-vous devenir enraciné et centré. Cela aidera à concentrer votre énergie et votre attention sur la tâche à accomplir.

Pour charger votre bocal de sort de protection, vous pouvez l'oindre d'huile ou d'eau correspondant à l'intention de votre sort. Utilisez une petite quantité d'huile ou d'eau et frottez-la sur l'extérieur du bocal, en concentrant votre énergie et votre intention sur l'infusion du bocal de l'énergie nécessaire. Vous pouvez utiliser des huiles protectrices telles que l'encens, la myrrhe ou le romarin.

Pour ajouter de l'énergie à votre bocal de sort de protection, vous pouvez le tenir dans vos mains et concentrer votre énergie et votre intention sur son infusion en énergie nécessaire. Visualisez votre intention se concrétisant et ressentez l'énergie qui se construit dans vos mains et se transfère dans le bocal. Cela créera une puissante barrière protectrice.

Pour finaliser le processus d'activation, vous pouvez sceller votre bocal de sort de protection avec de la cire de bougie ou un bouchon en liège. Cela aidera à contenir l'énergie à l'intérieur du bocal et l'empêchera de s'échapper. Assurez-vous de sceller complètement le bocal.

Après avoir chargé votre bocal de sort de protection, il est important de le placer dans un endroit en accord avec l'intention de votre sort. Par exemple, si votre intention est de protéger votre maison ou votre espace de travail, vous voudrez peut-être placer votre bocal de sort de protection près de la porte d'entrée ou sur votre bureau.

Pour maintenir l'énergie de votre bocal de sort de protection, il est important de le recharger régulièrement en énergie et en intention. Vous pouvez le faire en répétant périodiquement le processus d'activation ou en tenant simplement le bocal et en visualisant votre intention. Il est important de se rappeler que les sorts de protection et les bocaux ne sont pas une solution ponctuelle. Ils nécessitent une attention et un entretien réguliers pour rester efficaces.

Sorts de santé et de guérison et bocaux correspondants

Depuis l'Antiquité, y compris à l'époque des Égyptiens, des Grecs et des Romains, les individus ont utilisé des sorts et des bocaux pour favoriser la santé et la guérison. Les herbes, les cristaux et d'autres matériaux organiques étaient fréquemment utilisés dans ces sociétés à la fois pour la guérison physique et spirituelle.

Lors de traitements médicaux, les prêtres utilisaient des sorts et des incantations, et certaines herbes et huiles étaient réputées pour avoir des propriétés curatives. Les herbes étaient également utilisées à des fins médicinales par les Grecs et les Romains, et de nombreux traitements de ce type ont été documentés dans la littérature médicale.

En Europe médiévale, l'alchimie, qui visait à transformer les métaux communs en or et à accorder l'immortalité grâce à la pierre philosophale, était étroitement liée à l'utilisation de sorts et de bocaux pour la guérison. Les alchimistes pensaient que les principes de transformation et de transmutation pouvaient également s'appliquer au corps humain, et ils utilisaient diverses substances et techniques pour atteindre cet objectif.

L'utilisation de sorts et de bocaux pour la guérison a perduré pendant la Renaissance, et de nombreux praticiens ont combiné les concepts de l'alchimie avec ceux de l'astrologie et de la magie. Ces guérisseurs utilisaient des herbes, des cristaux et d'autres matériaux pour fabriquer des talismans et des potions afin d'aider à la guérison, car ils croyaient que l'alignement des étoiles et des planètes pouvait affecter le bien-être et la santé.

Aujourd'hui, de nombreux praticiens modernes continuent d'utiliser des sorts et des bocaux pour la santé et la guérison, s'inspirant des traditions anciennes et les adaptant aux contextes actuels. Alors que certains considèrent ces rituels comme purement spirituels ou symboliques, d'autres pourraient penser qu'ils ont réellement un pouvoir curatif et une efficacité.

Il existe de nombreux types différents de sorts et de bocaux pour la santé et la guérison, chacun ayant son propre objectif spécifique et son ensemble d'ingrédients. Certains peuvent être axés sur la promotion de la guérison mentale ou spirituelle, tandis que d'autres peuvent viser à aider à la guérison du corps. Voici quelques exemples de types courants de sorts et de bocaux pour la santé et la guérison :

Les bocaux dédiés à la santé et au bien-être général sont destinés à encourager la santé et le bien-être global de ceux qui les utilisent. Le contenu de ces bocaux inclut souvent une variété d'herbes, de cristaux et d'autres ingrédients réputés avoir des capacités de guérison. La lavande, la camomille et le romarin sont trois herbes fréquemment présentes dans ces bocaux. La lavande est utilisée pour la relaxation, la camomille pour le calme et le romarin pour la clarté mentale.

Les bocaux qui aident à renforcer le système immunitaire sont conçus pour promouvoir la santé générale ainsi que pour aider à stimuler le système immunitaire. Ces contenants peuvent inclure des ingrédients connus pour renforcer le système immunitaire, tels que l'échinacée, le sureau et le gingembre. Des cristaux, comme l'améthyste, qui sont censés renforcer le système immunitaire et améliorer la santé globale, peuvent également être utilisés dans la composition.

Les bocaux de soulagement de la douleur sont conçus pour aider à soulager la douleur et l'inconfort. Ces bocaux peuvent contenir des ingrédients tels que la menthe poivrée, connue pour ses propriétés analgésiques, ainsi que des cristaux tels que la citrine, réputée pour aider à soulager la douleur et favoriser la guérison.

Les bocaux de guérison pour diverses maladies sont créés dans le but de traiter différentes affections et conditions. Par exemple, un bocal de guérison pour les maux de tête pourrait inclure des composants comme la menthe poivrée et la lavande, toutes deux bien connues pour leur capacité à soulager la douleur associée aux migraines. Il est possible qu'un bocal de guérison pour l'anxiété inclue des composants tels que la camomille et le quartz rose, censés favoriser la détente et l'équilibre émotionnel.

Les bocaux conçus pour promouvoir l'équilibre et la guérison dans les centres énergétiques du corps, également appelés chakras, sont au cœur des pratiques de guérison des chakras. Il est possible que ces bocaux contiennent des ingrédients censés correspondre à chaque chakra, tels que l'améthyste pour le chakra coronal, le jaspe rouge pour le chakra racine et la citrine pour le chakra du plexus solaire.

Les bocaux de guérison spirituelle sont conçus pour favoriser la guérison au niveau spirituel. Ces bocaux peuvent contenir des ingrédients tels que l'encens, réputé pour favoriser la croissance et la guérison spirituelles, ainsi que des cristaux tels que le quartz clair, censé renforcer la conscience spirituelle et favoriser la guérison à un niveau spirituel.

Les bocaux de nettoyage de l'aura sont conçus pour nettoyer l'aura et favoriser la guérison émotionnelle et spirituelle. Ces bocaux peuvent contenir des ingrédients tels que la sauge blanche, réputée pour ses propriétés purifiantes, ainsi que des cristaux tels que le tourmaline noire, censé absorber l'énergie négative et favoriser la stabilité émotionnelle.

Ces bocaux de sorts contiennent généralement une variété d'herbes, de cristaux, d'huiles et d'autres ingrédients censés posséder des propriétés curatives et des correspondances. Dans cette section, nous explorerons certains des ingrédients les plus couramment utilisés dans les bocaux de sorts de santé et de guérison.

L'échinacée est une herbe populaire souvent utilisée dans les bocaux de sorts de santé et de guérison en raison de ses propriétés stimulantes du système immunitaire. On croit qu'elle aide le corps à lutter contre les infections et à favoriser la santé et le bien-être généraux.

La lavande est une herbe apaisante et relaxante fréquemment utilisée dans les bocaux de sorts de santé et de guérison pour favoriser l'équilibre émotionnel et réduire le stress et l'anxiété. On croit aussi qu'elle possède des propriétés antibactériennes et anti-inflammatoires, ce qui la rend utile pour traiter les irritations cutanées mineures et les infections.

La camomille est une herbe apaisante souvent utilisée dans les bocaux de sorts de santé et de guérison pour favoriser la détente et soulager le stress et l'anxiété. On croit aussi qu'elle possède des propriétés anti-inflammatoires et antispasmodiques, ce qui la rend utile pour traiter les problèmes digestifs et les crampes menstruelles.

Le romarin est une herbe populaire pour la protection et la purification, mais elle est également fréquemment utilisée dans les bocaux de sorts de santé et de guérison en raison de ses propriétés antiseptiques et anti-inflammatoires. On croit qu'elle aide aux problèmes respiratoires ainsi qu'à améliorer la circulation et la digestion.

Il est courant d'inclure la menthe poivrée, qui est une herbe stimulante, dans les bocaux de sorts de santé et de guérison afin d'encourager la clarté mentale et l'attention. On considère aussi qu'elle possède des caractéristiques antibactériennes et anti-inflammatoires, ce qui la rend efficace dans le traitement des problèmes respiratoires ainsi que des problèmes digestifs.

En raison de son caractère très puissant, le quartz clair est fréquemment inclus dans les bocaux de sorts de santé et de guérison. Sa présence contribue à augmenter la puissance des autres composants. On dit qu'il renforce les effets de guérison des autres cristaux et herbes, tout en encourageant la clarté et le développement spirituel.

En raison de ses caractéristiques apaisantes et équilibrantes, l'améthyste est souvent utilisée dans les bocaux de sorts de santé et de guérison. C'est parce que l'améthyste est une pierre de protection spirituelle. On considère qu'elle renforce l'intuition et favorise l'équilibre émotionnel, ce qui la rend efficace dans le traitement de l'anxiété et de la dépression.

L'huile d'encens est un puissant purificateur et est souvent utilisée dans les bocaux de sorts de santé et de guérison pour ses propriétés anti-inflammatoires et antibactériennes. On croit qu'elle favorise la croissance spirituelle et qu'elle nettoie les énergies négatives, ce qui la rend utile dans le traitement des problèmes respiratoires et cutanés.

L'huile d'arbre à thé est une huile populaire en raison de ses propriétés antibactériennes et antifongiques. Elle est souvent utilisée dans les bocaux de sorts de santé et de guérison pour traiter les irritations cutanées, les infections et d'autres problèmes de santé.

La sauge est une herbe purificatrice souvent utilisée dans les bocaux de sorts de santé et de guérison pour purifier l'énergie et favoriser l'équilibre émotionnel. On croit aussi qu'elle possède des propriétés antibactériennes et antifongiques, ce qui la rend utile pour traiter les problèmes respiratoires et cutanés.

Lorsque vous choisissez des ingrédients pour votre bocal de sorts de santé et de guérison, tenez compte de leurs propriétés énergétiques et correspondances. Sélectionnez des ingrédients en accord avec l'intention de votre sort et qui résonnent avec votre pratique personnelle et vos associations.

Créer et activer un bocal de sorts de santé et de guérison est un moyen puissant de soutenir votre bien-être physique, émotionnel et spirituel. Les bocaux de sorts peuvent être créés en utilisant une grande variété d'ingrédients, chacun contribuant à sa propre forme d'énergie et de qualités de guérison au résultat final. Ces ingrédients, une fois combinés et activés avec une intention et une énergie appropriées, peuvent travailler en synergie pour favoriser votre santé et votre guérison.

Rassembler les ingrédients qui correspondent à votre objectif est une étape nécessaire dans le processus de création d'un bocal de sorts de santé et de guérison. Les herbes, les cristaux, les huiles et divers symboles sont tous des composants fréquemment inclus dans les bocaux de sorts de santé et de guérison. Lorsque vous choisissez vos ingrédients pour le bocal de sorts, vous devriez réfléchir aux attributs de ces composants et à leur correspondance avec votre objectif pour le bocal.

Après avoir rassemblé tous les ingrédients nécessaires, vous pouvez commencer à assembler le bocal de sorts. Pour commencer, choisissez un bocal ou un contenant adapté à votre intention ainsi qu'à la quantité des composants que vous allez utiliser, et assurez-vous qu'il est propre. Nettoyez le bocal avec de l'eau et/ou un outil de nettoyage tel que la sauge ou le palo santo pour éliminer toute énergie négative qui pourrait être présente.

Ensuite, ajoutez vos ingrédients préférés au bocal, en veillant à le faire de manière méthodique et intentionnelle. Par exemple, vous pouvez commencer par poser une couche de base d'herbes séchées, puis ajouter une couche de cristaux, et enfin terminer avec une couche de symboles ou de talismans. À mesure que vous ajoutez chaque couche, dirigez votre intention vers les pouvoirs de guérison des ingrédients et comment ils favoriseront votre santé et votre bien-être. Concentrez votre intention sur la manière dont les composants vous aideront.

Après avoir ajouté tous les ingrédients, il est important d'activer et de charger le bocal de sorts. Faites-le dès que possible. Pour ce faire, commencez par établir une intention claire pour le bocal de sorts et ce que vous souhaitez accomplir en l'utilisant. Cela pourrait être un état physique spécifique que vous espérez traiter, un désir plus général d'augmenter votre santé et votre vitalité, ou même un besoin émotionnel ou spirituel spécifique que vous avez.

Après avoir décidé de ce que vous voulez accomplir, il est temps de mettre de l'énergie dans le bocal qui contient votre sort. Cela peut être fait de différentes manières, selon votre pratique personnelle et vos croyances. Voici quelques options :

Choisissez une huile ou de l'eau qui correspond à votre intention et appliquez une petite quantité à l'extérieur du bocal, en concentrant votre intention sur l'infusion du bocal avec de l'énergie et des propriétés de guérison.

Prenez le bocal dans vos mains et concentrez votre énergie et votre intention sur l'infusion d'énergie et de propriétés de guérison. Visualisez votre intention se concrétiser et ressentez l'énergie se construire dans vos mains et se transférer dans le bocal.

Jouez de la musique apaisante ou de guérison, ou utilisez un bol chantant ou des carillons pour infuser le bocal avec des vibrations sonores correspondant à votre intention.

Pendant que vous chargez le bocal de sorts, concentrez-vous sur votre intention et sur la manière dont chacun des ingrédients que vous avez ajoutés soutiendra votre santé et votre guérison. Visualisez l'énergie du bocal se construire et s'étendre, et ressentez l'énergie de guérison qui circule à travers vous.

Après avoir chargé le bocal de sorts, il est important de maintenir son énergie en le rechargeant périodiquement avec de l'énergie et de l'intention. Cela peut être fait en répétant le processus d'activation, en tenant le bocal et en visualisant votre intention, ou en plaçant le bocal à la lumière du soleil ou de la lune pour absorber l'énergie du monde naturel.

Sorts de carrière et de succès et bocaux correspondants

Le recours à des sorts et à la magie pour améliorer sa carrière et son succès a une longue et riche histoire dans de nombreuses cultures à travers le monde. Des anciens Babyloniens aux praticiens modernes de la sorcellerie, les gens utilisent des sorts et des bocaux pour aider à faire progresser leur carrière, augmenter leur richesse et leur succès, et atteindre leurs objectifs.

Dans l'ancienne Babylone, la magie était considérée comme un moyen de se connecter avec les dieux et d'obtenir leur faveur. Les Babyloniens croyaient qu'ils pouvaient accroître leur richesse et atteindre des niveaux de succès plus élevés dans leurs professions et leurs entreprises en utilisant des herbes spécifiques et des incantations. Ils utilisaient également des talismans et des amulettes comme moyen de se défendre contre les énergies potentiellement nuisibles et comme moyen d'attirer des énergies bénéfiques dans leur vie.

De manière similaire, les individus de l'ancienne Grèce et de Rome utilisaient des sorts et des talismans pour augmenter leur niveau de succès et de fortune. Ils avaient une ferme croyance en le pouvoir des mots et des symboles, et ils utilisaient les deux dans leurs pratiques religieuses pour attirer la faveur des dieux et apporter la prospérité.

Pendant le Moyen Âge, beaucoup d'individus, y compris des membres de l'Église, considéraient la magie comme quelque chose à éviter à tout prix. Malgré cela, il y avait encore des individus qui s'adonnaient à la pratique obscure de la magie et qui utilisaient des sorts et des talismans pour faire progresser leur carrière et obtenir une plus grande prospérité.

De nos jours, l'utilisation de sorts et de bocaux pour améliorer la carrière et le succès est devenue plus courante, de nombreuses personnes se tournant vers la magie comme moyen d'atteindre leurs objectifs et de faire progresser leur carrière. Il existe actuellement de nombreux livres, sites web et praticiens spécialisés dans la magie de la carrière et du succès. Ces individus proposent une grande variété de sorts, de bocaux et d'autres instruments magiques pour aider les individus à accomplir leurs objectifs.

Il existe une grande variété de sorts et de bocaux de carrière et de succès, chacun étant destiné à répondre à un ensemble particulier de besoins et d'objectifs. Les types courants de sorts et de bocaux comprennent ceux destinés à augmenter la fortune et le succès financier, à améliorer la réputation et le statut dans la communauté, à attirer de nouvelles opportunités de travail et à promouvoir la progression professionnelle, ainsi qu'à améliorer la réputation et le statut dans la communauté.

Les personnes qui ont du mal à trouver du travail peuvent solliciter l'aide de bocaux et de sorts de recherche d'emploi. Ces bocaux et sorts peuvent aider les individus à surmonter les obstacles qui peuvent les empêcher de trouver un emploi, tels qu'un manque de confiance en soi ou la peur d'être rejetés par les employeurs potentiels. Les sorts et bocaux de recherche d'emploi peuvent également aider les individus à attirer des opportunités d'emploi. Des ingrédients comme la cannelle, le gingembre et les feuilles de laurier sont fréquemment utilisés dans ces sorts et bocaux.

L'objectif des sorts et des bocaux de promotion est d'aider les individus à faire progresser leur carrière au sein de leurs organisations actuelles. Les individus qui mettent beaucoup d'efforts et de dévouement peuvent obtenir la reconnaissance qu'ils méritent en utilisant ces sorts et bocaux à leur avantage. Des ingrédients comme la bergamote, le romarin et l'encens sont fréquemment inclus dans de nombreux types de sorts et bocaux de promotion.

Les sorts et bocaux de succès sont conçus dans le but d'aider les individus à atteindre le succès dans leur vie professionnelle. Ces bocaux et sorts peuvent aider les individus à surmonter les problèmes qui peuvent les empêcher d'atteindre le succès, tels qu'un manque de désir ou de doute de soi, et les aider à atteindre leurs objectifs. Des ingrédients comme la citrine, l'œil de tigre et le basilic sont fréquemment utilisés dans les sorts et bocaux de succès.

L'utilisation de sorts et de bocaux de succès en affaires vise à aider les propriétaires d'entreprises et les entrepreneurs à réussir dans leurs entreprises respectives. Ces sorts et bocaux peuvent aider les individus à surmonter les obstacles qui peuvent les empêcher d'atteindre le succès, tels que le manque de financement ou le manque de clients. Des ingrédients comme l'aventurine verte, la cornaline et le patchouli sont fréquemment inclus dans les sorts et bocaux de succès en affaires.

Les sorts et les rituels visant à apporter l'abondance financière et la prospérité ont pour but d'aider les individus à atteindre ces objectifs. L'utilisation de ces sorts et bocaux peut aider les individus à surmonter les obstacles qui peuvent limiter leur succès financier, tels qu'une dette excessive ou un revenu insuffisant. Des ingrédients tels que les bougies vertes, les feuilles de laurier et la cannelle sont fréquemment inclus dans les sorts et bocaux destinés à apporter la prospérité financière.

Les sorts et bocaux de succès créatif sont conçus pour aider les individus à réussir dans leurs efforts créatifs tels que l'écriture, la musique ou l'art. Ces types d'efforts nécessitent un haut niveau d'expression individuelle. Les individus qui ont du mal à surmonter les obstacles créatifs ou à trouver de l'inspiration peuvent trouver de l'aide sous la forme de bocaux et de sorts. Les sorts et bocaux de succès créatif incluent souvent des ingrédients tels que l'améthyste, les pétales de rose et la lavande.

La combinaison adéquate d'ingrédients peut aider à attirer le succès, à augmenter la motivation et la concentration, et à éliminer les obstacles qui se dressent sur votre chemin. Voici quelques-uns des ingrédients couramment utilisés dans les bocaux de sorts de carrière et de succès :

Les feuilles de laurier sont une herbe populaire utilisée dans les sorts de carrière et de succès en raison de leur capacité à favoriser le succès et à accroître la motivation. On croit qu'elles ont un effet stimulant sur l'esprit, contribuant à augmenter la clarté mentale et la concentration. Les feuilles de laurier peuvent également aider à surmonter les obstacles et à atteindre les objectifs.

La citrine est un cristal puissant utilisé dans les sorts de carrière et de succès pour attirer la richesse, l'abondance et le succès. On croit qu'elle favorise une attitude positive, augmente la motivation et la créativité, et attire des opportunités de succès. On dit également que la citrine aide à éliminer les énergies négatives et les blocages qui peuvent entraver le succès.

L'aventurine verte est un cristal couramment utilisé dans les sorts de carrière et de succès pour favoriser la prospérité et l'abondance. On croit qu'elle aide à attirer des opportunités financières, à augmenter la motivation et la concentration, et à renforcer la confiance en soi. L'aventurine verte peut également aider à éliminer les énergies négatives et à promouvoir l'équilibre émotionnel.

La cannelle est une épice populaire utilisée dans les sorts de carrière et de succès en raison de sa capacité à attirer la richesse et le succès. On croit qu'elle favorise une attitude positive, augmente la motivation et la détermination, et aide à surmonter les obstacles. La cannelle peut également être utilisée pour renforcer les capacités psychiques et favoriser la croissance spirituelle.

Le quartz clair est un cristal puissant utilisé dans les sorts de carrière et de succès pour renforcer l'énergie des autres ingrédients et favoriser la clarté de la pensée. On croit qu'il aide à amplifier les intentions du sort, à augmenter la motivation et la concentration, et à éliminer les énergies négatives qui peuvent entraver le succès.

Le patchouli est une herbe populaire utilisée dans les sorts de carrière et de succès en raison de sa capacité à attirer l'abondance et la prospérité. On croit qu'elle favorise une attitude positive, augmente la motivation et la détermination, et attire des opportunités financières. Le patchouli peut également être utilisé pour favoriser la croissance spirituelle et renforcer l'intuition.

La pyrite est un cristal puissant utilisé dans les sorts de carrière et de succès pour attirer la richesse et l'abondance. On croit qu'elle aide à augmenter la motivation et la concentration, favorise une attitude positive et attire des opportunités de succès. La pyrite peut également être utilisée pour se protéger contre les énergies négatives et renforcer la confiance en soi.

Lorsque vous choisissez des ingrédients pour votre bocal à sort de carrière et de succès, il est important de tenir compte de leurs propriétés énergétiques et de leurs correspondances. Sélectionnez des ingrédients qui sont alignés avec votre intention et qui résonnent avec votre pratique personnelle et vos associations. Vous pouvez également ajouter des objets personnels, tels qu'une carte de visite ou un symbole de votre profession, pour renforcer davantage l'énergie du bocal à sort.

Créer et activer un bocal à sort de carrière et de succès peut être un outil puissant pour aider à manifester vos objectifs et vos aspirations. En utilisant des ingrédients spécifiques, des correspondances et une intention, vous pouvez créer un bocal à sort qui correspond à vos objectifs de carrière et de succès et qui contribue à les concrétiser.

La première étape dans la création d'un bocal à sort de carrière et de succès consiste à déterminer votre intention. Quels sont vos objectifs spécifiques pour votre carrière et que signifie le succès pour vous ? Soyez aussi précis que possible lorsque vous définissez votre intention, car cela aidera à aligner votre énergie et à concentrer vos efforts de manifestation.

Une fois que vous avez défini votre intention, vous pouvez commencer à rassembler les ingrédients pour votre bocal à sort. Certains ingrédients couramment utilisés dans les sorts de carrière et de succès comprennent les feuilles de laurier, la cannelle, la citrine, la menthe, le quartz clair et les bougies vertes.

Une fois que vous avez rassemblé vos ingrédients, il est temps d'activer et de charger votre bocal à sort de carrière et de succès.

Commencez par nettoyer votre espace et vous enraciner, comme décrit dans les sections précédentes de ce guide. Ensuite, oignez votre bocal avec de l'huile ou de l'eau qui correspondent à votre intention, et ajoutez les ingrédients choisis dans le bocal.

À mesure que vous ajoutez chaque ingrédient, concentrez votre énergie et votre intention sur les correspondances spécifiques de cet ingrédient et sur la manière dont il s'aligne avec vos objectifs de carrière et de succès. Visualisez-vous en train d'atteindre vos objectifs et de manifester le succès que vous désirez.

Une fois que tous les ingrédients sont dans le bocal, tenez-le dans vos mains et concentrez votre énergie et votre intention pour l'imprégner de l'énergie nécessaire. Visualisez votre intention se concrétisant et ressentez l'énergie qui se construit dans vos mains et se transfère dans le bocal.

Enfin, scellez votre bocal à sort de carrière et de succès avec de la cire de bougie ou un bouchon en liège, et placez-le dans un endroit qui correspond à l'intention de votre sort. Cela pourrait être sur votre bureau au travail, dans votre bureau à domicile ou dans un endroit qui représente le succès et la réalisation pour vous.

Pour maintenir l'énergie de votre bocal à sort de carrière et de succès, vous pouvez périodiquement répéter le processus d'activation ou simplement tenir le bocal et visualiser votre intention. Avec une intention concentrée et les bons ingrédients, un bocal à sort de carrière et de succès peut être un outil puissant pour aider à manifester vos objectifs et vos aspirations.

Chapitre V

Dépannage

Que faire si un sort ne fonctionne pas

Les bocaux à sorts sont un outil populaire dans la pratique de la magie, et ils sont utilisés pour manifester une variété de désirs tels que l'amour, la richesse, la protection et la santé. Cependant, même les praticiens les plus expérimentés peuvent rencontrer des situations où leurs bocaux à sorts ne produisent pas les résultats souhaités. Lorsque cela se produit, cela peut être frustrant et décourageant, mais il existe plusieurs choses que l'on peut faire pour résoudre le problème.

L'une des premières choses à considérer est de savoir si l'intention derrière le bocal à sort était réaliste et réalisable. Il est essentiel de fixer des objectifs réalistes lors de la création d'un bocal à sort, car des attentes irréalistes peuvent conduire à la déception et à la frustration. Par exemple, si quelqu'un crée un bocal à sort pour trouver son âme sœur dans la semaine, cela peut ne pas être faisable et cela pourrait entraîner l'échec du bocal à sort. Il est donc essentiel de fixer des objectifs réalisables et de faire preuve de patience, car la manifestation des désirs peut prendre du temps.

Un autre facteur important à considérer est l'énergie qui a été mise dans le bocal à sort. Lors de la création d'un bocal à sort, il est crucial de l'imprégner d'intention et d'énergie. Si l'on n'est pas dans le bon état d'esprit, l'énergie infusée dans le bocal à sort peut être négative ou faible, ce qui peut affecter son efficacité. Par conséquent, il est important d'être dans un état d'esprit calme et concentré lors de la création et de la charge d'un bocal à sort. On peut le faire en méditant, en effectuant des exercices de respiration ou en utilisant d'autres techniques d'ancrage.

Il est également essentiel de s'assurer que les ingrédients utilisés dans le bocal à sort étaient de haute qualité et correspondaient à l'intention du sort. Chaque ingrédient dans le bocal à sort joue un rôle crucial dans son efficacité, et si un ingrédient incorrect est utilisé ou si la qualité est médiocre, cela peut affecter le résultat. Par exemple, si quelqu'un crée un bocal à sort d'amour et utilise une herbe associée à la protection plutôt qu'à l'amour, cela peut ne pas produire les résultats souhaités. Il est donc crucial de rechercher et d'utiliser des ingrédients de haute qualité qui correspondent à l'intention du sort.

Le timing est également un facteur essentiel à considérer lors de l'utilisation de bocaux à sorts. Chaque sort a ses propres correspondances, y compris le timing approprié pour effectuer le sort. Par exemple, réaliser un sort d'argent pendant une lune montante, lorsque l'énergie est propice à la croissance et à l'abondance, peut améliorer l'efficacité du bocal à sort. En revanche, réaliser un sort d'argent pendant une lune décroissante, lorsque l'énergie est associée à la libération et au lâcher prise, peut ne pas produire les résultats souhaités. Il est donc crucial de rechercher le timing approprié pour le bocal à sort et de le réaliser en conséquence.

Si le bocal à sort ne produit pas les résultats souhaités, on peut également envisager de réaliser une lecture de divination pour obtenir un aperçu de la situation. Une lecture de divination peut aider à identifier les blocages ou les obstacles qui peuvent empêcher le bocal à sort de fonctionner, ce qui permet de résoudre ces problèmes et d'ajuster le bocal à sort en conséquence. De plus, une lecture de divination peut fournir des conseils sur les étapes à suivre pour aider le bocal à sort à manifester ses désirs.

Il est également essentiel de garder à l'esprit que l'univers peut avoir un plan différent pour nous que ce que nous désirons parfois, et qu'il est acceptable qu'un bocal à sort ne produise pas les résultats escomptés. Dans de telles circonstances, il est possible que nous devions prendre du recul, réévaluer nos objectifs et analyser si nos désirs sont vraiment liés à ce que nous faisons. Nous pouvons également tirer le meilleur parti de cette situation en la considérant comme une occasion d'apprendre et de se développer, de réfléchir à notre pratique et d'adapter notre stratégie si nécessaire.

Ne perdez pas espoir si votre bocal à sort ne semble pas produire l'effet désiré. Vous pouvez augmenter son efficacité en prenant certaines mesures, notamment en modifiant votre objectif, en réarrangeant vos matériaux et en réfléchissant au moment de vos actions. Cependant, il est essentiel de non seulement exercer l'acceptation, mais aussi de faire confiance au plan que l'univers a pour vous, car il peut y avoir des variables qui échappent à votre contrôle. N'oubliez pas d'aborder le travail des sorts avec intention, prudence et respect des forces naturelles en jeu.

Rompre un bocal ensorcelé

Même si cela peut être difficile, il peut parfois être nécessaire de briser un bocal à sort. Briser le bocal à sort peut être une manière de passer à autre chose et de laisser partir l'énergie qu'il contient, que ce soit parce qu'il ne remplit plus son objectif initial, qu'il a été altéré par de l'énergie négative ou qu'il doit simplement être libéré.

Il y a plusieurs choses à prendre en compte lorsque vous cassez un bocal à sort, et cela doit être fait avec soin et intention. Nous allons discuter de la manière de briser les bocaux à sort en toute sécurité et de manière responsable, ainsi que de ce qu'il convient de faire avec le contenu par la suite.

Casser un bocal à sort est une décision sérieuse qui ne doit être envisagée qu'en dernier recours. Les bocaux à sort sont des outils puissants qui contiennent l'énergie et l'intention de la personne qui les a créés, et les briser ne doit être fait que lorsque c'est absolument nécessaire.

Il y a plusieurs situations qui peuvent justifier de casser un bocal à sort. L'une des raisons les plus courantes est lorsque le bocal à sort ne sert plus son objectif initial. Si l'intention originale derrière le bocal à sort a été réalisée ou n'est plus pertinente, il peut être nécessaire de briser le bocal pour libérer l'énergie et permettre de fixer de nouvelles intentions.

Une autre situation où il peut être nécessaire de briser un bocal à sort est lorsque le bocal a été contaminé par de l'énergie négative. L'énergie négative peut prendre différentes formes, comme les disputes ou les conflits, et peut perturber l'énergie à l'intérieur du bocal. Dans de tels cas, briser le bocal peut être nécessaire pour libérer l'énergie et prévenir d'autres dommages.

Enfin, il peut y avoir des situations où le bocal à sort est devenu un fardeau. Cela peut se produire lorsque la personne qui a créé le bocal ressent du stress ou de l'inquiétude à cause de lui, ou lorsqu'elle ne ressent plus de connexion avec l'énergie qu'il contient. Dans ces situations, briser le bocal pourrait être un moyen de se débarrasser du poids et de continuer.

Il est crucial d'aborder le processus avec respect et intention si vous vous trouvez dans une situation où il est nécessaire de briser un bocal à sort. Prenez le temps de considérer l'énergie et l'intention que le bocal contient avant de le briser. Réfléchissez s'il existe d'autres options pour libérer l'énergie, comme enterrer ou brûler le bocal.

Si vous choisissez de casser le bocal, assurez-vous de le faire de manière à la fois sûre et respectueuse. Commencez par nettoyer l'espace et vous ancrer, puis tenez le bocal dans vos mains et remerciez-le pour son service. Utilisez un marteau ou un autre outil pour briser le bocal en morceaux, puis libérez l'énergie en dispersant les morceaux dans la nature ou en les enterrant dans la terre.

Après avoir cassé un bocal à sort, prenez un moment pour réfléchir à l'expérience et à l'énergie qui a été libérée. Envisagez de fixer de nouvelles intentions et de créer un nouveau bocal à sort si nécessaire. Souvenez-vous que briser un bocal à sort ne doit être fait que lorsque c'est absolument nécessaire, et doit toujours être abordé avec respect et intention.

Casser un bocal à sort peut être une décision difficile, mais cela peut être nécessaire dans certaines situations. Lorsque l'énergie contenue dans un bocal à sort ne sert plus son objectif initial, qu'elle a été contaminée par de l'énergie négative ou qu'elle est devenue un fardeau, casser le bocal peut être un moyen de libérer l'énergie et de continuer. Cependant, il est important d'aborder le processus avec intention et soin pour garantir que l'énergie soit libérée correctement et sans danger.

La première étape pour briser un bocal à sort consiste à fixer votre intention. Prenez un moment pour concentrer votre énergie et visualiser l'énergie contenue dans le bocal en train d'être libérée et transformée de manière positive. Cela peut contribuer à garantir que l'énergie soit libérée d'une manière qui correspond à vos intentions et à vos valeurs.

Il est également important de choisir un endroit sûr pour briser le bocal à sort. Les emplacements extérieurs ou les zones qui peuvent être facilement nettoyées et dégagées de tout débris sont de bonnes options. Il est important de vous protéger avant de briser le bocal, car l'énergie qu'il contient peut être imprévisible. Vous pouvez vous ancrer, créer un cercle de protection ou appeler l'aide d'une divinité ou d'un guide spirituel pour vous aider dans cette démarche.

Briser le bocal avec intention est une étape cruciale du processus. Faites attention à ne pas vous blesser, vous ni les autres, en utilisant un instrument comme un marteau ou un caillou. Il est également important de prêter attention à l'énergie qui est libérée lorsque vous brisez le bocal. Il est important de maintenir votre attention et votre présence, car cette énergie peut être très puissante.

Les contenus du bocal peuvent être déchargés de manière appropriée après qu'il a été brisé. Vous pouvez les disposer correctement pour l'environnement en les enterrant, en les dispersant dans le vent ou en les brûlant. Il est nécessaire d'exprimer de la gratitude et du respect en libérant l'énergie après l'avoir appréciée pour son assistance.

La décision de briser un bocal à sort peut être difficile, mais elle peut aussi être un moyen efficace de libérer l'énergie qui ne sert plus à l'objectif pour lequel elle a été créée. En abordant le processus avec intention et soin, vous pouvez libérer l'énergie d'une manière qui correspond à vos valeurs et vous permet de continuer.

La disposition appropriée des contenus d'un bocal à sort brisé est cruciale pour garantir que l'énergie contenue soit libérée et transformée de manière respectueuse et respectueuse de l'environnement. Il existe plusieurs options à choisir en fonction de la nature des matériaux et de vos préférences personnelles.

Une option consiste à enterrer les contenus dans un endroit sûr et respectueux. Cela peut être une bonne option si les contenus sont biodégradables, comme des herbes ou des fleurs, et peuvent être rendus à la terre. Avant d'enterrer les contenus, il est important de choisir un emplacement respectueux et en conformité avec les réglementations locales. Il est également important de s'assurer que les matériaux enterrés ne présenteront pas de risque pour la faune ou l'environnement.

Une autre option consiste à disperser les contenus dans un endroit qui semble approprié. Si les ressources peuvent être libérées en toute sécurité dans le monde et ne sont pas dangereuses pour l'environnement, cela peut être une bonne option. Encore une fois, il est essentiel de choisir un endroit qui respecte les autres et qui est conforme aux lois applicables. Il est également essentiel de confirmer que les matériaux ne mettront pas en danger l'environnement ou la faune.

Les contenus peuvent être réutilisés dans un nouveau bocal à sort ou rituel si ils peuvent être purifiés de toute mauvaise énergie. Si les matériaux sont encore utilisables et peuvent être incorporés en toute sécurité dans un nouvel objectif, cela peut être une excellente alternative. Il est important de bien nettoyer les matériaux avant de les réutiliser pour garantir que toute mauvaise énergie soit éliminée.

Si les contenus ne sont pas biodégradables ou ne peuvent pas être réutilisés, les jeter à la poubelle de manière respectueuse de l'environnement peut être la meilleure option. Cela peut inclure la séparation de tout matériau recyclable des matériaux non recyclables et leur élimination correcte. Il est important de rechercher les réglementations locales concernant l'élimination des matériaux pour s'assurer qu'ils sont éliminés de manière sûre et responsable.

En conclusion, une disposition appropriée des contenus d'un bocal à sort brisé est importante pour garantir que l'énergie contenue soit libérée et transformée de manière respectueuse et respectueuse de l'environnement. Il existe plusieurs options à choisir, notamment l'enterrement des contenus, leur dispersion, leur nettoyage et leur réutilisation, ou leur élimination correcte dans une poubelle. Il est important de choisir l'option la plus appropriée pour les matériaux et de veiller à respecter toute réglementation locale.

Se débarrasser d'un bocal ensorcelé

La disposition d'un bocal à sort est une étape importante dans la pratique de la magie, car elle permet au praticien de libérer l'énergie qui a été contenue dans le bocal et de continuer. Il est important de se débarrasser d'un bocal à sort de manière appropriée non seulement pour l'environnement, mais aussi par respect pour l'énergie qui a été contenue dans le bocal.

Lorsque vous vous débarrassez d'un bocal à sort, il y a plusieurs aspects à prendre en compte, tels que le type de bocal, ce qu'il contient et la raison pour laquelle le sort a été jeté en premier lieu. Lors de l'élimination d'un bocal à sort, les procédures suivantes doivent être suivies :

Il est essentiel de vérifier l'inventaire d'un bocal à sort et de son contenu avant de se débarrasser du bocal. Il est important que le bocal, s'il est en verre ou en tout autre matériau pouvant être recyclé, soit recyclé de manière appropriée. Si les éléments contenus dans le bocal sont capables de se biodégrader, il sera possible de s'en débarrasser de manière respectueuse de la nature.

Avant de jeter le bocal et son contenu, il est important de libérer l'énergie qui y a été contenue. Cela peut être accompli par le biais de l'exécution d'un rituel ou de la cultivation d'un état méditatif dans lequel le praticien imagine l'énergie en train d'être libérée et transformée de manière constructive. Cette étape est essentielle car elle empêche toute énergie négative qui aurait pu être présente de rester et de causer des dommages potentiels.

Il est essentiel de choisir un cadre respectueux avant de jeter un bocal contenant des ingrédients magiques. Il peut s'agir d'un cadre naturel, comme un parc ou une forêt, ou d'un lieu ayant une signification particulière pour le praticien personnellement. Il est essentiel de se débarrasser du bocal et de son contenu de manière qui soit respectueuse non seulement de l'environnement environnant, mais aussi de toutes les personnes qui pourraient entrer en contact avec les objets.

Une fois que l'énergie a été libérée et qu'un lieu respectueux a été choisi, il est temps de se débarrasser du bocal et de son contenu. Cela peut être fait en enterrant le contenu dans un trou peu profond, en le dispersant dans le vent ou en le jetant de manière respectueuse pour l'environnement. Si le contenu du bocal ne peut pas être éliminé de manière respectueuse de l'environnement, il peut être mis à la poubelle.

Après avoir jeté le bocal à sort, il est important de nettoyer et de recharger l'espace où le bocal se trouvait. Cela peut être fait en utilisant de la sauge ou du palo santo pour la purification, en saupoudrant du sel ou de l'eau bénite, ou en utilisant toute autre méthode qui correspond à la pratique personnelle du praticien. Purifier l'espace permet de libérer toute énergie résiduelle et de créer un nouveau départ pour de nouveaux sorts et intentions.

Lors de la disposition d'un bocal à sort, il est important de se souvenir de l'énergie qui y a été contenue et de respecter l'environnement et toutes les personnes qui pourraient entrer en contact avec le contenu. L'acte de disposer d'un bocal à sort peut être une partie puissante et transformative du processus de lancer des sorts, s'il est fait avec le bon niveau d'intention et de prudence.

Chapitre VI

Techniques Avancées

Magie des bougies et bocaux ensorcelés

La magie des bougies et les bocaux à sort sont deux formes de pratiques magiques qui ont été utilisées depuis des siècles pour obtenir des résultats souhaités et rendre ses objectifs évidents. Même si chacun de ces rituels peut être effectué individuellement, les combiner peut considérablement renforcer la puissance et l'efficacité du sort. Dans cette section, nous discuterons des fondamentaux de la magie des bougies et des bocaux à sort, ainsi que de leurs avantages et de la manière dont ils peuvent être combinés pour produire des pratiques magiques plus puissantes.

La magie des bougies est un type de pratique magique qui implique l'utilisation de bougies pour manifester les objectifs et aspirations d'une personne. Cette pratique est basée sur la croyance que la flamme d'une bougie représente l'énergie et la lumière divine, et qu'en se concentrant sur la flamme et l'intention derrière le sort, le praticien peut manifester ses désirs dans la réalité.

La première étape de la magie des bougies consiste à choisir la bonne bougie en fonction de l'intention. Différentes couleurs et parfums sont associés à différentes intentions et énergies, il est donc important de choisir une bougie qui correspond à l'objectif souhaité du sort. Par exemple, une bougie rouge peut être utilisée pour les sorts d'amour, tandis qu'une bougie verte peut être utilisée pour les sorts d'abondance et de prospérité.

Une fois la bougie choisie, il est important de la purifier et de la charger avec l'intention. Cela peut être fait en utilisant de la sauge ou du palo santo pour la purification, en saupoudrant du sel ou de l'eau bénite, ou toute autre méthode qui résonne avec le praticien. Il est également important de sculpter des symboles ou des mots dans la bougie qui représentent l'intention du sort.

Avant d'allumer la bougie, le praticien devrait s'enraciner et concentrer son énergie et son intention sur le résultat souhaité. Cela peut être fait par la méditation ou la visualisation. Une fois la bougie allumée, le praticien devrait continuer à se concentrer sur son intention, permettant à la flamme de représenter l'énergie et la lumière divine.

Pendant que la bougie brûle, le praticien peut choisir de répéter des affirmations ou des incantations en accord avec l'intention du sort. Il est important de laisser la bougie brûler complètement, car cela représente l'achèvement du sort et la manifestation de l'intention dans la réalité.

Les bocaux à sort sont une forme de pratique magique qui consiste à utiliser un bocal ou un récipient pour contenir des ingrédients et des symboles qui représentent l'intention du sort. Le bocal sert de contenant pour l'énergie et l'intention du sort, et peut être utilisé pour amplifier et manifester le résultat souhaité.

La première étape dans la création d'un bocal à sort consiste à choisir le bon contenant. Le contenant doit être propre et fabriqué dans un matériau approprié pour l'intention du sort. Par exemple, un bocal en verre peut être utilisé pour les sorts d'amour, tandis qu'un bocal en argile peut être utilisé pour les sorts de protection et de mise à la terre.

Une fois le contenant choisi, le praticien devrait rassembler des ingrédients qui représentent l'intention du sort. Cela peut inclure des herbes, des cristaux, des symboles ou des objets personnels ayant une signification particulière. Il est important de choisir des ingrédients qui résonnent avec le praticien et s'alignent sur l'intention du sort.

Les ingrédients doivent être ajoutés dans le bocal en couches, chaque couche représentant un aspect différent de l'intention. Par exemple, un bocal à sort d'amour peut inclure des couches de pétales de rose, de lavande et de cristaux de quartz rose. À mesure que chaque ingrédient est ajouté, le praticien devrait concentrer son énergie et son intention sur le résultat souhaité.

Une fois le bocal rempli d'ingrédients, il doit être scellé avec un couvercle ou un bouchon pour contenir l'énergie et l'intention du sort. Le praticien du sort a la possibilité de décorer le bocal avec des mots ou des symboles qui sont significatifs pour l'objectif de la magie qui est lancée.

Une augmentation de la puissance et de l'efficacité d'un sort peut être obtenue en combinant la magie des bougies avec l'utilisation de bocaux à sort. Il est possible d'utiliser la flamme de la bougie pour charger et activer l'énergie contenue dans le bocal à sort, produisant ainsi une manifestation puissante du résultat souhaité.

La magie des bougies et les bocaux à sort, lorsqu'ils sont utilisés ensemble, ont le potentiel d'augmenter la puissance d'un sort de plusieurs manières différentes, notamment les suivantes :

La capacité à amplifier son énergie est l'un des avantages les plus significatifs offerts par la combinaison de la magie des bougies et des bocaux à sort. L'acte d'allumer une bougie crée une source directe d'énergie de feu, ce qui a le potentiel d'améliorer l'efficacité du sort. Lorsque la bougie est allumée, sa flamme constitue un point focal permettant au praticien de concentrer son énergie et son intention. Les sorts qui demandent beaucoup d'énergie, tels que ceux pour l'abondance, la prospérité ou la protection, peuvent en bénéficier grandement, car cela peut les aider à concentrer leur énergie de manière plus efficace.

L'utilisation de la magie des bougies en conjonction avec les bocaux à sort a le potentiel non seulement d'augmenter les niveaux d'énergie, mais aussi d'améliorer la concentration. Lorsqu'un praticien travaille avec un bocal à sort, il le charge fréquemment avec des ingrédients spécifiques et son désir. En travaillant avec le bocal, les praticiens peuvent concentrer davantage leur énergie sur l'objectif du sort en allumant une bougie et en travaillant avec elle en même temps. Il est possible que la flamme de la bougie agisse comme un rappel visuel de l'objectif du rituel, rendant ainsi beaucoup plus simple le maintien de la concentration et le recentrage pendant le travail du sort.

La capacité à créer une image visuelle de l'énergie canalisée par le sort est un autre avantage de la combinaison de la magie des bougies et des bocaux à sort en un seul rituel. Dans un sort, l'énergie qui est travaillée peut être représentée de manière plus tangible en utilisant des bougies. En incorporant une bougie dans un bocal à sort, les praticiens peuvent créer une représentation visuelle de l'intention du sort, ce qui facilite la concentration et la manifestation. Par exemple, un bocal à sort d'amour pourrait être amélioré en ajoutant une bougie rouge ou rose, tandis qu'un bocal à sort d'abondance pourrait être amélioré en ajoutant une bougie verte. Les bougies existent dans une variété de couleurs.

Augmenter le potentiel de manifestation peut être accompli en utilisant la magie des bougies en conjonction avec les bocaux à sort. L'énergie de la bougie et les éléments chargés dans le bocal travaillent ensemble pour générer un puissant champ d'énergie qui peut aider à rapprocher l'intention du sort de la réalité. La flamme de la bougie agit comme un phare, attirant l'énergie de l'univers pour aider dans le processus de manifestation de tout ce que vous désirez amener à l'existence.

Il existe plusieurs façons distinctes de combiner la magie des bougies et les bocaux à sort :

L'utilisation d'une bougie à l'intérieur du bocal lui-même est une méthode pour combiner les pouvoirs de la magie des bougies et des bocaux à sort. Cela peut être fait en plaçant une petite bougie au centre du bocal ou en plaçant une bougie sur le dessus du bocal et en l'allumant pendant le travail du sort. Lorsque vous lancez un sort qui nécessite l'utilisation d'une bougie dans un bocal, les praticiens doivent être conscients de la taille de la bougie et confirmer qu'elle peut brûler en toute sécurité à l'intérieur des limites du bocal avant de commencer le rituel. Cette approche est particulièrement utile pour lancer des sorts qui impliquent d'atteindre un résultat souhaité, comme un sort d'amour ou de magie pour augmenter ses ressources financières.

La magie des bougies et les bocaux à sort peuvent également être combinés d'une autre manière en utilisant une bougie pour infuser le bocal avec de l'énergie avant de lancer un sort. Cela peut être accompli en allumant une bougie, en la rapprochant du bocal et en se concentrant intensément sur l'objectif du sort en le faisant. Le praticien peut ensuite refermer le bocal en utilisant l'énergie chargée de la bougie, ce qui infusera davantage le bocal avec de l'énergie. Cette méthode est particulièrement efficace pour les sorts qui nécessitent un niveau élevé d'énergie et de concentration, comme les sorts de protection ou de guérison.

En plus de placer une bougie à l'intérieur du bocal à sort lui-même ou d'utiliser une bougie pour conférer de la puissance au bocal, les praticiens ont la possibilité d'effectuer un rituel de bougie avant la création du bocal à sort. Allumer une bougie et se concentrer sur l'objectif du sort sont toutes deux des étapes nécessaires dans ce processus, après quoi l'énergie chargée est utilisée pour créer le bocal à sort. Cette approche est utile pour les praticiens qui souhaitent établir leur objectif et générer un puissant champ d'énergie avant de commencer leur travail de sort, car elle leur permet de maximiser l'efficacité de leurs efforts. C'est également une excellente méthode pour aligner son énergie avec l'objectif du sort et développer un état d'esprit centré.

Lorsqu'ils sont combinés, la magie des bougies et les bocaux à sort peuvent offrir une pratique magique à la fois puissante et hautement efficace. Voici quelques conseils pour incorporer la magie des bougies dans vos bocaux à sort :

Lorsque vous choisissez des bougies pour vos bocaux à sort, il est important de prendre en compte la couleur et le parfum. Différentes couleurs et fragrances peuvent correspondre à différentes intentions et énergies, alors assurez-vous de choisir des bougies qui sont en accord avec l'objectif de votre bocal à sort. Par exemple, une bougie verte peut être utilisée pour un bocal à sort axé sur l'argent et l'abondance, tandis qu'une bougie rose peut être utilisée pour un bocal à sort axé sur l'amour et les relations. Il est également important de choisir des bougies fabriquées avec des matériaux naturels et non toxiques pour éviter les impacts environnementaux négatifs et les risques pour la santé.

Avant d'utiliser vos bougies pour vos bocaux à sort, il est important de les nettoyer et de les charger. Vous pouvez le faire en tenant les bougies dans vos mains et en les visualisant remplies d'énergie positive et d'intention. Vous pouvez également nettoyer les bougies avec de la fumée de sauge ou de palo santo. Cela permet de supprimer toute énergie négative ou intention qui pourrait être attachée à la bougie, la laissant ainsi s'aligner pleinement avec l'intention du sort.

Il existe plusieurs façons d'incorporer des bougies dans vos bocaux à sort. Vous pouvez placer une petite bougie chauffe-plat ou votive sur le dessus du bocal et l'allumer pendant votre sort ou votre rituel. Vous pouvez également sculpter des symboles ou des mots dans la bougie qui s'alignent avec votre intention. Cela permet d'infuser la bougie avec encore plus d'énergie et d'intention.

Pendant que vous travaillez avec votre bougie et votre bocal à sort, il est important de concentrer votre intention et votre énergie sur le résultat souhaité. Visualisez votre intention se concrétiser à mesure que la bougie brûle et infuse le bocal de son énergie. Cela permet d'aligner votre énergie et votre intention avec l'énergie du sort, créant ainsi une pratique puissante et efficace.

Il est important de surveiller la bougie pendant qu'elle brûle, car cela peut fournir des informations sur l'avancement de votre sort ou de votre rituel. Si la bougie brûle rapidement et proprement, cela peut être un signe que le sort que vous lancez produit l'effet souhaité. Si la bougie brûle de manière inégale ou crée beaucoup de fumée, cela peut être interprété comme un signe qu'il y a des obstacles ou des difficultés à surmonter.

Après que votre bougie a complètement brûlé et que le bocal à sort a rempli sa fonction, il est essentiel de les éliminer de manière respectueuse et consciente de l'environnement. Vous avez la possibilité de recycler le bocal, ou vous pouvez vous en débarrasser d'une manière conforme à vos propres valeurs et rituels. Vous pourriez également choisir d'enterrer les cendres de la bougie dans un endroit digne et sécurisé. Il est essentiel de bien éliminer tous les restes afin d'éviter tout effet indésirable sur l'environnement environnant et de maintenir un flux d'énergie agréable dans votre pratique.

En conclusion, combiner la magie des bougies et les bocaux à sort peut être un moyen puissant et efficace d'amplifier l'énergie et l'intention de vos sorts. Vous pouvez construire une pratique solide et réussie qui est en accord avec vos croyances et pratiques uniques en choisissant les bougies appropriées, en les nettoyant et en les chargeant, en les incorporant dans le bocal à sort, en vous concentrant sur votre objectif tout en observant la bougie, et en les éliminant de manière appropriée à la fin du rituel.

Phases lunaires et bocaux ensorcelés

Pendant des milliers d'années et à travers une grande variété de religions et de cultures, la lune a servi de symbole puissant. On croit que les phases de la lune ont un effet sur nos niveaux d'énergie et notre comportement. L'astrologie considère que la lune est une représentation de nos côtés émotionnels et intuitifs. Lorsqu'il s'agit de lancer des sorts, les phases de la lune sont parfois considérées comme un élément crucial. Lorsque l'on travaille avec des bocaux à sort, qui peuvent être chargés et activés pour exploiter l'énergie de la lune, c'est quelque chose de particulièrement important à garder à l'esprit. Dans cette section, nous explorerons la signification des phases de la lune dans les bocaux à sort et comment elles peuvent être utilisées pour renforcer la puissance de votre magie.

La lune passe par quatre phases principales à chaque cycle lunaire : la nouvelle lune, la lune croissante, la pleine lune et la lune décroissante. Chaque phase représente un aspect différent de l'énergie de la lune et peut être utilisée pour améliorer différents types de magie.

La nouvelle lune est le début du cycle lunaire, lorsque la lune est invisible dans le ciel. Cette phase est associée aux nouveaux départs, aux débuts frais et à la fixation d'intentions. C'est un moment puissant pour la manifestation et pour semer les graines de nouvelles idées ou projets.

La lune croissante est la phase entre la nouvelle lune et la pleine lune, lorsque la lune semble devenir plus grande dans le ciel. Cette phase est associée à la croissance, à l'abondance et à l'avancement. C'est un moment puissant pour les sorts liés à la prospérité, au succès et à la croissance personnelle.

La pleine lune est le point du cycle lunaire où la lune est à son plus lumineux et à son plus complet. Cette phase est associée à l'abondance, à la manifestation et à l'achèvement. C'est un moment puissant pour les sorts liés à l'amour, à la fertilité, à la créativité et à tout type de manifestation.

La lune décroissante est la phase entre la pleine lune et la nouvelle lune, lorsque la lune semble devenir plus petite dans le ciel. Cette phase est associée à la libération, au lâcher-prise et à l'élimination. C'est un moment puissant pour les sorts liés à la rupture de mauvaises habitudes, à la libération d'énergie négative et à la création d'espace pour de nouveaux départs.

Utiliser les phases de la lune dans les bocaux à sort est un moyen puissant d'aligner vos intentions avec les énergies naturelles de l'univers. Chaque phase lunaire correspond à différentes énergies et intentions, il est donc important de choisir la bonne phase pour votre bocal à sort. Ici, nous discuterons des différentes phases de la lune et de la manière de les utiliser dans vos bocaux à sort.

La nouvelle lune est un moment de nouveaux départs, de débuts frais et de fixation d'intentions. C'est un moment pour semer les graines de vos désirs et fixer des intentions claires pour le prochain cycle lunaire. Les bocaux à sort créés pendant la nouvelle lune sont puissants pour manifester de nouveaux débuts et initier de nouveaux projets. L'énergie de la nouvelle lune est également idéale pour les sorts de bannissement, car c'est un moment de libération et de lâcher-prise.

La lune croissante est un moment de croissance, d'expansion et de manifestation. C'est un moment pour créer une dynamique et agir en faveur de vos objectifs. Les bocaux à sort créés pendant la lune croissante sont puissants pour attirer l'abondance, le succès et l'énergie positive. C'est aussi un moment idéal pour les sorts liés à l'amour et aux relations.

La pleine lune est un moment d'abondance, de manifestation et d'énergie accrue. C'est un moment pour célébrer les accomplissements et puiser dans toute la puissance de l'univers. Les bocaux à sort créés pendant la pleine lune sont particulièrement puissants pour manifester l'abondance, amplifier l'énergie et exploiter l'énergie accrue de la pleine lune.

La lune décroissante est un moment pour relâcher, lâcher prise et éliminer les anciennes énergies. C'est un moment pour bannir l'énergie négative et éliminer les obstacles de votre chemin. Les bocaux à sort créés pendant la lune décroissante sont puissants pour relâcher les vieux schémas, se débarrasser de la négativité et ouvrir la voie à de nouveaux départs.

Lors de la création de bocaux à sort, il est important de tenir compte de la phase lunaire qui est la plus alignée avec vos intentions. Vous pouvez créer un bocal à sort pendant n'importe quelle phase de la lune, mais travailler avec l'énergie de la lune peut amplifier la puissance de votre sort.

Pour utiliser les phases de la lune dans vos bocaux à sort, vous pouvez commencer par définir votre intention pour le bocal à sort et choisir la phase lunaire appropriée. Par exemple, si vous créez un bocal à sort pour l'abondance, vous voudrez peut-être le créer pendant la lune croissante. Ensuite, rassemblez les ingrédients appropriés et chargez-les avec votre intention. Vous pouvez le faire en tenant les ingrédients dans vos mains et en les visualisant imprégnés d'énergie positive et d'intention.

Une fois vos ingrédients chargés, assemblez-les dans votre bocal et scellez-le avec un couvercle. Vous pouvez également ajouter une bougie sur le dessus du bocal, que vous pourrez allumer pendant votre sort ou votre rituel pour amplifier l'énergie.

Lorsque vous travaillez avec votre bocal à sort, il est important de se connecter à l'énergie de la lune et de visualiser votre intention se concrétisant. Vous pouvez également suivre l'évolution de votre bocal à sort en suivant les phases lunaires et en notant tout changement ou progrès dans le résultat souhaité.

Lorsque le bocal à sort a rempli sa fonction, vous pouvez vous en débarrasser d'une manière respectueuse et respectueuse de l'environnement. Vous pouvez recycler le bocal ou l'enterrer dans un endroit sûr. Vous pouvez également vous débarrasser du contenu d'une manière qui correspond à vos croyances et pratiques personnelles.

En conclusion, l'utilisation des phases de la lune dans les bocaux à sort est un moyen puissant d'aligner vos intentions avec les énergies naturelles de l'univers. Chaque phase lunaire correspond à différentes énergies et intentions, il est donc important de choisir la bonne phase pour votre bocal à sort.

Incorporation de l'astrologie dans les bocaux ensorcelés

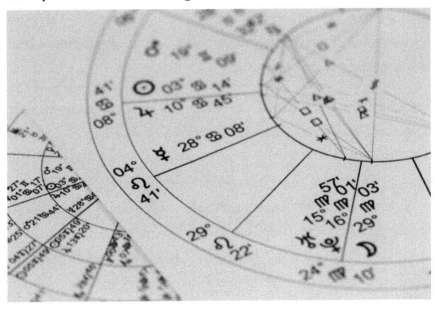

Incorporer l'astrologie dans les bocaux à sort est une manière puissante d'améliorer l'efficacité de vos sorts. L'astrologie est l'étude des mouvements et des positions relatives des corps célestes, et elle est utilisée depuis des siècles pour comprendre les cycles naturels de l'univers et comment ils se rapportent à nos vies sur Terre. En travaillant avec les planètes, les signes du zodiaque et les correspondances astrologiques, les praticiens peuvent aligner leurs sorts avec les cycles naturels de l'univers et puiser dans l'énergie du cosmos pour atteindre leurs objectifs souhaités.

Une manière d'intégrer l'astrologie dans les bocaux à sort consiste à choisir les bonnes planètes. Chaque planète est associée à différentes énergies et correspondances, qui peuvent être utilisées pour renforcer la puissance de votre bocal à sort. Par exemple, Mars est associée à l'énergie, au courage et à la force, tandis que Vénus est associée à l'amour, à la beauté et à l'attraction. Choisir la planète qui correspond à votre intention et l'intégrer dans votre bocal à sort à travers des symboles, des couleurs et des correspondances peut améliorer l'efficacité de votre sort.

Travailler avec les signes du zodiaque est une autre manière d'intégrer l'astrologie dans les bocaux à sort. Chaque signe du zodiaque est associé à différentes énergies et correspondances, qui peuvent également être utilisées pour renforcer la puissance de votre bocal à sort. Par exemple, le Bélier est associé au courage, à l'initiative et au leadership, tandis que le Taureau est associé à la stabilité, à l'ancrage et à l'abondance. Choisir le signe du zodiaque qui correspond à votre intention et l'intégrer dans votre bocal à sort à travers des symboles, des couleurs et des correspondances peut améliorer l'efficacité de votre sort.

En plus de choisir les bonnes planètes et les signes du zodiaque, les praticiens peuvent également utiliser le timing astrologique pour améliorer l'efficacité de leurs bocaux à sort. Cela implique de travailler avec les phases de la lune et les positions des planètes pour aligner votre sort avec les cycles naturels de l'univers. Par exemple, si vous travaillez sur un sort pour l'amour et l'attraction, vous pouvez choisir d'effectuer le sort pendant une rétrogradation de Vénus pour en augmenter l'efficacité. Les différentes phases de la lune, telles que la nouvelle lune, la pleine lune et les phases croissantes ou décroissantes, peuvent également être utilisées pour renforcer l'énergie de vos bocaux à sort.

Les heures planétaires sont des périodes de temps gouvernées par des planètes spécifiques et sont censées être optimales pour travailler avec leur énergie. Les praticiens peuvent intégrer les heures planétaires dans leurs bocaux à sort en choisissant la planète appropriée et en effectuant le sort pendant son heure correspondante. Par exemple, si vous travaillez sur un sort pour la communication, vous pouvez choisir d'effectuer le sort pendant l'heure planétaire de Mercure, qui est associée à la communication et à la clarté mentale.

Les correspondances astrologiques sont des symboles spécifiques, des couleurs et des matériaux associés à chaque planète et signe du zodiaque. Les praticiens peuvent intégrer ces correspondances dans leurs bocaux à sort pour renforcer leur puissance et leur efficacité. Par exemple, si vous travaillez sur un sort pour l'abondance et la prospérité, vous pouvez choisir d'incorporer la couleur verte (associée à la planète Vénus et au signe du zodiaque Taureau) et l'herbe de cannelle (associée à la planète Jupiter et au signe du zodiaque Sagittaire) dans votre bocal à sort.

Lorsque vous incorporez l'astrologie dans vos bocaux à sort, il est important d'avoir une compréhension de base de l'astrologie et de sa relation avec vos intentions. Vous pouvez faire des recherches sur les différentes planètes, les signes du zodiaque et les correspondances astrologiques pour choisir celles qui correspondent à vos intentions. Il est également important de choisir des correspondances qui résonnent personnellement avec vous, car cela renforcera l'énergie et l'efficacité de votre bocal à sort.

Incorporer l'astrologie dans les bocaux à sort peut ajouter un niveau de signification et de puissance plus profond à vos sorts. En travaillant avec les cycles naturels de l'univers et en puisant dans l'énergie du cosmos, vous pouvez améliorer l'efficacité de vos sorts et manifester vos désirs plus rapidement et plus efficacement.

Conclusion

Récapitulation des points clés

Tout au long de cette discussion sur les bocaux à sort et leurs différents composants, nous avons couvert beaucoup de terrain. Voici un récapitulatif des principales leçons à retenir lorsque vous travaillez avec des bocaux à sort :

Les bocaux à sort sont un outil puissant pour la manifestation et la fixation d'intentions. Ils peuvent être créés en utilisant une variété d'ingrédients, y compris des herbes, des cristaux et des huiles.

Il est important de choisir les bons ingrédients pour votre bocal à sort en fonction de leurs correspondances et de leurs propriétés énergétiques. Différentes herbes, cristaux et huiles peuvent être utilisés pour renforcer différents types de sorts et d'intentions.

La magie des bougies peut être combinée avec les bocaux à sort pour en augmenter l'efficacité. Choisir la bonne couleur et le bon parfum de bougie, et concentrer votre intention en allumant la bougie, peut aider à amplifier l'énergie de votre bocal à sort.

L'astrologie peut également être incorporée dans les bocaux à sort en utilisant les correspondances des planètes, des signes du zodiaque et du timing astrologique. En travaillant avec les cycles naturels de l'univers, les praticiens peuvent aligner leurs bocaux à sort avec l'énergie du cosmos et renforcer leur puissance.

Il est important de nettoyer et de charger vos ingrédients et vos outils avant de les utiliser dans un bocal à sort. Cela peut être fait en utilisant différentes méthodes, telles que le fumigage avec de la sauge ou du palo santo, ou en les exposant à la lumière de la lune ou du soleil.

Lors de la création d'un bocal à sort, il est important de fixer une intention claire et de concentrer votre énergie sur le résultat souhaité. La visualisation et la méditation peuvent être utiles pour améliorer la concentration et diriger l'énergie vers votre intention.

L'élimination d'un bocal à sort doit être effectuée avec soin et respect de l'environnement. Le contenu peut être enterré ou dispersé dans un lieu respectueux, ou le bocal peut être recyclé si possible.

En gardant ces principales leçons à l'esprit, les praticiens peuvent créer des bocaux à sort puissants et efficaces qui correspondent à leurs intentions et exploitent l'énergie de l'univers. Lorsque vous travaillez avec des énergies puissantes, il est essentiel d'être prudent en tout temps, d'avoir des intentions claires, de maintenir l'attention et de montrer du respect pour le monde naturel. Il est également essentiel d'aborder le travail des sorts avec intention et concentration.

Encouragement à expérimenter et personnaliser les bocaux ensorcelés

La pratique des bocaux à sort a été utilisée pendant des siècles comme moyen de manifester des intentions et des désirs. C'est une pratique magique puissante et polyvalente qui peut être personnalisée et adaptée pour répondre aux besoins et aux désirs individuels des praticiens. Bien qu'il existe de nombreux ingrédients, méthodes et correspondances traditionnels qui peuvent être utilisés dans les bocaux à sort, il est important de se rappeler qu'il n'y a pas de règles strictes et rapides. Encourager l'expérimentation et la personnalisation peut conduire à des bocaux à sort plus significatifs et efficaces.

L'un des avantages des bocaux à sort est qu'ils peuvent être adaptés pour répondre à un large éventail d'intentions et de besoins. Que vous cherchiez à attirer l'amour, la prospérité, la protection ou la guérison, il existe d'innombrables façons d'incorporer ces intentions dans un bocal à sort. En expérimentant avec différents ingrédients, correspondances et méthodes, les praticiens peuvent trouver ceux qui résonnent le plus fortement avec eux et leurs intentions.

La personnalisation est également essentielle en ce qui concerne les bocaux à sort. Aucun praticien n'est identique, et ce qui fonctionne pour une personne peut ne pas fonctionner pour une autre. La personnalisation des bocaux à sort peut impliquer l'incorporation d'objets ayant une signification personnelle ou une valeur sentimentale, comme un bijou précieux ou une photo d'un être cher. Cela peut également impliquer l'adaptation des correspondances pour répondre aux besoins et aux préférences individuelles. Par exemple, si un praticien associe la couleur bleue à la protection plutôt qu'à la couleur traditionnelle noire, il peut choisir d'incorporer des bougies ou des pierres bleues dans son bocal à sort de protection.

En plus de personnaliser les bocaux à sort, les praticiens peuvent également expérimenter différentes méthodes et techniques. Alors que les méthodes traditionnelles consistent à superposer les ingrédients dans un bocal et à le sceller avec de la cire, il existe de nombreuses autres façons de créer un bocal à sort. Certains praticiens choisissent d'utiliser un récipient différent, comme une bouteille ou une boîte, tandis que d'autres incorporent d'autres outils magiques, tels que des sigils ou des cristaux. L'expérimentation peut conduire à de nouvelles idées et approches, ainsi qu'à des bocaux à sort plus significatifs et efficaces.

Lorsque vous expérimentez et personnalisez les bocaux à sort, il est important de rester ouvert d'esprit et flexible. Toutes les expériences ne seront pas couronnées de succès, et il est important d'être prêt à s'adapter et à essayer de nouvelles choses. Les praticiens peuvent également apprendre des autres en partageant leurs expériences et leurs connaissances avec d'autres praticiens, que ce soit au sein de communautés en ligne ou de groupes en personne.

Enfin, il est important de se rappeler que les bocaux à sort sont une forme puissante de magie qui doit être utilisée avec intention et responsabilité. Il est important de considérer les conséquences potentielles de vos intentions et de vous assurer qu'elles sont en accord avec votre plus grand bien et celui de tous les concernés. Les praticiens doivent également être conscients de leur impact sur l'environnement et choisir des ingrédients et des méthodes d'élimination respectueux et durables.

En conclusion, l'utilisation de bocaux à sort dans la pratique magique est une forme de magie adaptable et puissante qui peut être adaptée et modifiée pour répondre aux besoins et aux objectifs de chaque praticien individuel. Encourager l'expérimentation et la personnalisation peut entraîner des bocaux à sort plus significatifs et efficaces, et maintenir un esprit ouvert et une approche flexible peut conduire à la découverte de nouvelles perspectives et méthodes. Il est essentiel d'utiliser les bocaux à sort avec la bonne quantité d'intention et de responsabilité, en tenant compte des conséquences possibles et en étant conscient de l'impact qu'ils ont sur l'environnement environnant.

Merci d'avoir acheté et lu/écouté notre livre. Si vous avez trouvé ce livre utile, nous vous invitons à prendre quelques minutes pour laisser un avis sur la plateforme où vous avez acheté notre livre. Vos commentaires nous sont extrêmement précieux.

Milton Keynes UK
Ingram Content Group UK Ltd.
UKHW020908201123
432908UK00020B/3018